KB112611

인생의 열 가지 생각

인생의 열 가지 생각

이해인

마음산책

인생의 열 가지 생각

1판 1쇄 발행 2023년 6월 10일
1판 9쇄 발행 2024년 11월 20일

지은이 이해인
펴낸이 정은숙
펴낸곳 마음산책

등록 2000년 7월 28일(제2000-000237호)
주소 (우 04043) 서울시 마포구 잔다리로3안길 20
전화 대표 | 362-1452 편집 | 362-1451
팩스 362-1455
홈페이지 www.maumsan.com
블로그 blog.naver.com/maumsanchaek
트위터 twitter.com/maumsanchaek
페이스북 facebook.com/maumsan
인스타그램 instagram.com/maumsanchaek
전자우편 maum@maumsan.com

ISBN 978-89-6090-814-7 03810

∘ 책값은 뒤표지에 있습니다.

저는 평범한 일상을 보내는 것이야말로
비범한 희망을 얻는 길이라고 생각합니다.
나에게 주어진 하루하루, 이 시간을 잘 살아내면
괜찮은 미래로 향할 수 있겠지요.
시간은 흐르고 우리는 조금씩 앞으로 나아갑니다.

책머리에

하루하루가 꽃이 되고 별이 된다

책과 편지, 자료 들을 정리하는 시간이 늘었습니다. 일기장과 메모 같은 기록을 빼곡히 남긴 노트를 세어보니 179권이더군요. 다 읽어볼 수도 없는 분량입니다. 딱히 원고를 쓰는 날이 아닐 때도 꾸준히 쓰려고 노력한 것, 예비 수녀 때부터 이어진 글에 대한 한결같은 애착이 내 삶을 이루어왔구나 싶습니다.

한 권 한 권 펼칠 때마다 추억이 떠오릅니다. 그날 하루하루 꽃이 되고 별이 된 사연들이 나를 위로합니다. 그 순간들이 모여 오늘에 이르렀다는 생각이, 오늘 하루도 역시 잘 살아야겠다는 의지가 되어줍니다.

제가 머무는 '해인글방' 건물도 곧 재건축에 들어가, 더욱 애틋한 마음으로 이 방의 자료들을 정리하고 있습니다. 이곳을 다녀간 이들이 남긴 방명록은 또 얼마나 대단한지요. 두 번째 방문하는 사람은 자신이 처음 썼던 방문기를 보고 깜짝 놀라기도 합니다. 그때 그 마음을, 잊고 살았던 추억을 되찾은 것처럼 반가워합니다.

살아 있기에 사람들을 만나고, 그들이 남긴 흔적을 간직하며 반가운 관계를 유지하고 있습니다. 제가 세상을 떠난다 해도 이 흔적들은 낡은 과거로 남는 것이 아니라, 사람들에게 새로운 힘이 되어줄 것이라고 생각합니다.

돌아가신 이어령 선생이 1975년 가을 루이제 린저 작가와 함께 수녀원을 방문하신 적이 있는데, 그때 방명록에 남기신 글이 라틴어 경구 'memento mori(메멘토 모리, 죽음을 기억하라)'입니다. 선생이 떠나시고 난 후 이 문구가 강렬하게 떠오르더군요.

방명록의 편지와 문장 들은 제가 살아 있는 동안 더 많이 쌓일 것입니다. 이것들은 쌓여서 무엇이 될까요. 아마도 꽃이 되고 별이 되겠지요.

우리 수녀회에서는 낮 기도 후 퇴장하면서 시편 129편을 소리 내어 외웁니다. 세상을 떠난 이들에게 영원한 안식과 빛을 달라는 기도문이지요. 환한 대낮에도 죽음을 껴안는 수도자의 삶을 생각해보세요. 자기 전에 드리는 끝기도는 이렇습니다. "주님, 이 밤을 편히 쉬게 하시고 거룩한 죽음을 맞게 하소서." 매일 죽음을 맞고 또 매일 새로운 삶을 얻습니다. 삶과 죽음은 이렇게 한 몸으로 연결되어 있습니다.

삶을 정리하는 마음으로 산문집 『인생의 열 가지 생각』을 냅니다. 우리의 인생 하면 떠오르는 생각을 '가난, 공생, 기쁨, 위로, 감사, 사랑, 용서, 희망, 추억, 죽음'이라는 열 가지 화두로 추려보았지요.

이 책이 누군가에게 도착해서 도움이 되고 즐거움이 되고 죽음에 대한 새로운 생각이 되어주기를 바랍니다. 제가 가진 것이라고는 기도하는 마음과 글 쓰는 힘밖에 없으니, 다 드렸다고 생각해도 좋습니다.

사람의 힘으로는 어쩔 수 없는 일들이 많이 일어납니다. 나쁜 일도 그렇지만 좋은 일 역시 사람의 힘만으로는 일어나지 않는다고 생각합니다. 무엇이든 은총입니다. 끊임없이 기도하고 끊임없이 쓰면서, 하루하루를 살아갑니다.

2023년 초여름

부산 광안리에서

이해인

차례

반드시 하루에 한두 번은
미래의 죽음을 생각하면 좋겠습니다.
그러면 내 삶에 대해 겸손해질 수밖에 없어요.
내 삶에서 죽음을 잘 기다리고 이용하길 바랍니다.

가난

수녀원에는 개인 소유의 물건이 거의 없습니다. 여러 사람이 공동으로 사용하는 물건이니 아끼면서 조심히 다루는 일이 자연스럽지요. 제가 갖고 있는 성경에는 볼펜 대신 연필로 이름을 써놓았습니다. 다른 수녀의 것과 헷갈릴 수도 있기에 이름을 적었지만, 언젠가는 두고 떠나야 하고 누군가 이어서 사용할 터이니 연필로 적은 것입니다. 제 이름을 지우면 누구의 것도 될 수 있으니까요.

수도회에서 서원을 할 때는 사유재산을 포기하고, 개인의 뜻을 포기하고, 인간적인 욕망을 포기하겠다고 다짐합니다. '가난, 정결, 순명'이라는 세 가지 서원에 대해서는 수도 생활 내내 곱씹고 기도합니다.

'가난'이라는 단어에는 현실적인 슬픔이 스며 있지요. 넉넉하지 못하다는 것은 분명 불편한 일입니다. 삶을 옥죄기도 하고요. 그러나 저는 살아오면서 가난이란, 물건을 적게 갖는 것뿐만 아니라 마음 또한 어디에도 얽매이지 않는 상태라는 것을 깨달았습니다. 영혼이 자유롭다는 말과 가난하다는 말은 통한다는 것을요.

수녀회 공동체에서는 내 배가 아파도 '우리' 배가 아프다고 표현할 정도로 '나'라는 개념이 없습니다. 나의 물건이 다른 사람에게도 쓰일 수 있다고 생각하면 가난의 의미가 조금은 달라집니다. 내 것에 집착하지 않을 때, '가난한 마음'은 자유로울 수 있습니다.

제가 수녀원의 배려로 만들어 생활하는 해인글방도 언뜻 과하게 가진 것처럼 보입니다. 글방이라는 공간부터 수많은 책과 물건, 하다 못해 의자와 테이블까지 다른 수녀들에 비해서는 확실히 혜택을 받았다고 할 수 있지요. 그러나 이곳에 있는 물건들은 제 것이 아닙니다. 해인글방은 저뿐만 아니라 누구든 들러서 쉬고 묵상할 수 있는 곳이기 때문입니다.

물건에 마음이 얽매이지 않는 상태, 이 가난한 마음을 유지하려면 끊임없이 공동선에 대한 기도를 하고 아량을 키워야 합니다. 계속 수련해야만 그 마음이 무너지지 않을 수 있어요.

현대인에게는 필요 이상으로 물건이 차고 넘칩니다. 예전에는 수녀원에서도 이면지를 알뜰하게 사용하고, 잡지에 나오는 그림을 종이에 오려 붙여 카드도 만들어 썼습니다. 그런데 이제는 종이도 넘쳐나고 카드도 많이 갖게 되니까 재활용에 대한 감각이 조금은 무뎌져버렸어요.

또 예전에는 각자의 주보 성녀를 기념하는 영명축일에 수녀들을 위해 작은 선물들을 상 위에 차려놓기도 했습니다. 저희는 그것을 '선물상'이라고 불렀지요. 새로운 수녀들의 서원 날에도 예쁜 손수건 같은 선물을 준비하는 문화가 있었는데, 요즘에는 더 가난하게 살자는 취지에서 이런 행사들도 생략하고 있습니다.

선물을 나누어 갖는 즐거움을 아는 저로서는 비싸고 대단한 물건을 주고받는 것도 아닌데, 작은 기쁨마저 포기해야 하는지 아쉬움도 들었습니다. 그러나 수도자는 풍요로운 시대에 그 가치를 역행하는 가난한 삶을 살아야 한다는 큰 뜻에 바로 수긍하게 되었어요. 수도자들이 가난한 것은 당연하고, 나아가 아름답다는 생각까지 듭니다.

저는 스스로를 죽음의 길로 향하는 순례자라고 생각합니다. 순례자의 삶에 많은 물건이 왜 필요하겠어요. 물건이 있어도 없는 것처럼, 내 것이어도 내 것이 아닌 것처럼 사는 연습을 해나가는 이가 순례자입니다.

암 투병을 하는 동안 물질을 향한 편견에서 자유로워진 면도 있습니다. 가진 게 많으니 부자고, 가진 게 없으니 가난하다는 도식을 버리게 된 것이지요. 오히려 무소유에 집착해 가난하게 살면서 세상의 빛과 소금이 되어야 한다는 강박관념을 갖는 것이야말로 자신을 우상화하려는 마음의 발로 아닐까 싶습니다. 훌륭한 가난이란 그런 도식과 강박에서 벗어난 상태를 말합니다.

가난에 대한 이상한 집착과 고집은 자아만 살찌울 뿐입니다. '나는 가난해야 해. 어떤 것도 가난한 생활을 향한 나의 신념을 꺾을 수는 없어'라고 고집하면 빳빳한 삶을 살게 됩니다. 부드럽고 자유로운 마음으로 온전한 가난을 위해 노력해야 해요. 자꾸만 물건이 쌓이는 일상 속에서 자신은 덜 갖고 필요한 사람에게 나눠 주는 노력이 모두의 선을 이루는 것이니까요.

수녀원에서는 자신이 사용하지 않지만 선물하면 좋은 물건들을 나누는 때가 있습니다. 여름과 겨울에 두 번 정도, 인사이동 시기에 서로 바꿔 쓰자는 취지로 작은 '아나바다' 행사를 벌입니다. 한때 유행했던 '아껴 쓰고, 나눠 쓰고, 바꿔 쓰고, 다시 쓰자'는 그 운동이지요.

저는 아나바다 행사를 열면 봉쇄수도원인 가르멜 수도회 수녀들을 위해 문구류나 손뜨개 가방 같은 예쁜 물건을 챙겨 보냅니다. 가르멜 수도회 수녀들은 외출을 할 수 없으니, 제가 보내준 물건들을 신기한 선물인 양 반겨줍니다.

수녀들마다 좋아하는 물건이 달라서 한쪽에만 인기가 쏠리지 않고 골고루 돌아가게 됩니다. 제가 좋아하는 물건이란 거의 정해져 있어요. 앞치마나 헝겊 주머니처럼 수작업으로 만든 물건들이에요.

워낙 자주 나누어 주다 보니 독자들 중에도 제가 준 선물을 기뻐하며 오래도록 간직하는 분들이 많습니다. 수녀원 앞 광안리 바닷가에서 주운 조개껍데기 하나, 작은 헝겊 가방 하나를 애지중지하세요. 이런 소소한 물건들은 가난한 마음에 큰 선물이 되어주지요.

요즘 저의 취미 생활은 '수녀원 명단 살펴보기'인데요. 100명이 넘는 수녀들의 이름을 한 번씩 훑어보면서 그들에게 무엇이 필요할까 떠올리는 재미가 있습니다. 제가 받은 선물을 또다시 선물할 수 있는 적당한 계기를 찾으려고 자주 들여다봅니다.

다시 가난을 생각합니다. 가난이란, 갖지 않는 것이 아니라 가진 것을 나누고 자족하여 마음의 평화를 얻는 상태라는 것을요. 실은 가난보다 '청빈'이라는 단어를 더 좋아한답니다. 맑은 가난.

쬐그만 열매가 빠져나간
도토리의 빈집은
작아서 더욱
겸손하고 애틋하다

큰 하늘도 담겨 있는
앙징스런 빈집에
잠시 들어가 살고 싶네

도토리처럼 단단한 꿈을 익혀
세상에 나누어 줄 때까지
정겹고 따스한 집 속에
꼭꼭 숨어 살고 싶네
아주 조그만 사람으로

「도토리의 집」

단순하게 살고 싶은 욕심으로
단순하게 사는 법을 연구하며
책도 읽고 토론도 많이 하지만
삶이 조금도 단순해지지 못함은 어쩐 일일까요
'버리겠다' '버려야지'
내내 궁리만 하지 말고
자꾸 결심만 키우며 안 된다고 안달하지 말고
눈꽃처럼 순결하고 서늘한 결단을 내려야지요
오늘만이 나의 전 생애라고
근심 불안 슬픔마저 숨기고
사랑하는 일에만 마음을 쓰겠다고
자연스럽게 기도해보세요
그러면 마음이 가벼워지고
삶이 저절로 단순해질 것입니다
아름다움의 시작은 단순함임을
예수님께 다시 배우는

오늘의 기쁨이여

「단순하게 사는 법」

지난 사순절엔 본원의 수녀들끼리 자기가 쓰지 않는 물건들을 내놓아 서로 사랑과 나눔의 마음으로 미니 백화점을 차렸는데 의류, 문구류, 성물, 일상용품 등등 다양한 품목이 나왔지요. 인기 품목이라도 자기가 가지려고 욕심내지 않고 서로 양보하며 나누어 갖는 모습은 보기가 좋았답니다. 나에겐 별 의미 없이 잠자고 있는 물건이 어떤 사람에게 가서는 매우 빛나고 진가를 발휘하는 것 역시 바람직한 일이라고 새삼 확인하는 흐뭇한 시간이었답니다.

『사랑은 외로운 투쟁』 중에서

무엇을 먹어
저리도 밝고 맑은 소리로
새들은 나를 깨우는지

몸의 무게와
욕심의 무게를
덜어내고 싶어도
뜻대로 되지 않아
오늘도 걱정하는
많은 이들에게

가벼운 새들은
무겁게 말을 하네

먼저
순간순간을
열심히 살아보세요

조건 없이 사랑해보세요

그러면

어느 날 가벼워진

자신을 보게 될 거예요

「새들의 아침」

“유럽식의 큰 건물에 살면서 우리가 에너지절약도 할 겸 불편한 가난을 선택해서 사는 걸 모르는 사람도 많을 거야. 좋은 지향은 ‘즐거운 불편’으로 감수해야 할 텐데 갈수록 ‘불편한 불편’이 되니 어쩌면 좋지?” 하고 저마다 푸념 섞인 반성을 하던 중 우리는 쓰레기 매립장과 생활폐기물 연료화 및 발전시설장 견학을 가서 폭염, 대기오염, 미세먼지, 온실가스에 대한 전문가의 특강도 듣게 되었습니다. 오늘 아침엔 바다 쓰레기에 대한 심각한 기사를 읽었습니다. 우리 모두 집에서도 밖에서도 각자가 쓰레기 줄이는 노력을 조금씩이라도 하지 않으면 안 될 것 같습니다. 휴지 대신 손수건 쓰기, 나만의 컵 지니고 다니기 등 이런저런 결심을 다시 해보는 이 시간, 얼른 사무실의 에어컨을 끄고 부채를 찾으러 창고로 향합니다. 해를 보며 해 아래 사는 기쁨을 노래하게 만드는 이 여름을 새롭게 사랑하면서.

『그 사랑 놓치지 마라』 중에서

더 적게 먹고

더 적게 말하고

더 적게 일하고

차츰 작아지면서

떠나는 연습을

하나 보다

내 엄마도

그랬으니까

많은 사람이

그랬으니까

건강을 다 잃고 나서야

나는 욕심 없는

작은 나라의

주인이 되려 하네

「적게 더 적게」

사랑이 너무 많아도
사랑이 너무 적어도
사람들은 쓸쓸하다고 말하네요

보이게
보이지 않게
큰 사랑을 주신 당신에게
감사의 말을 찾지 못해
나도 조금은 쓸쓸한 가을이에요

받은 만큼 아니 그 이상으로
내어놓는 사랑을 배우고 싶어요
욕심의 그늘로 괴로웠던 자리에
고운 새 한 마리 앉히고 싶어요

11월의 청빈한 나무들처럼
나도 작별 인사를 잘하며

갈 길을 가야겠어요

「11월의 나무처럼」

법정 스님이 제게 하신 “고독하지 않고는 주님 앞에 마주 설 수가 없을 것 같습니다”라는 말씀에서 마주 서는 대상을 부처님이라고 해도 되지만, ‘주님’이라고 하신 것은 저를 배려하신 거지요. 고독이 단절된 상태가 아니라 우주의 바닥 같은 것을 들여다보는 것이라는 말을 음미하면, 여기에는 겸손이 포함된 겁니다. 우주의 바닥을 들여다보려면 스스로 겸손해야만 해요. 탐욕스러우면 우주의 바닥은 보이지 않아요. 이 말은 스님께서 제게 하는 말인 동시에 당신에게 하는 말이라고 봅니다. 배부른 상태에서는 고독을 느끼지 못하니까 우리는 수도자로서 주린 자로 살아가자, 약간 모자라는 듯이 없음을, 가난함을 사랑하면서 고독을 배우자고요. 그래요. 고독은 배우자고 할 만큼 어려운 겁니다.

『이해인의 말』 중에서

공생

우리는 팬데믹을 겪으면서 함께 사는 삶이 무엇인지 생생하게 경험했습니다. '나만 잘 살면 그만'이 잘못된 생각임을 뼈저리게 체득한 것입니다. 이만큼 살아가는 것도 누군가 나를 알게 모르게 지원하고 염려해주는 덕분이라는 것 또한 알게 되었습니다.

이제 마스크를 벗고 일상으로 돌아오니 자주 생각하지 않는 게 있어요. 바로 의료진에 대한 고마움입니다. 이전처럼 매 순간 감사하지 않게 된 듯합니다. 저 역시 암 투병 중인 환자인 동시에 길고 힘든 팬데믹을 견뎌온 한 사람으로서 분투하는 의료진들의 모습을 잊을 수 없습니다. 그분들이 없었다면 얼마나 큰 재앙이 우리를 덮쳤겠어요. 하지만 늘 아픈 사람 쪽으로 마음이 기우는 수도자여서 그런지 의료진을 향한 감사의 마음이 조금 작아진 것은 사실입니다.

성모병원 암 센터 원장을 지냈던 전후근 박사는 임기를 마치고 뉴욕으로 건너가 코로나19 병동에서 몸을 돌보지 않고 봉사하다, 멀리 뉴욕에서 세상을 떠났습니다. 저의 주치의는 아니었지만, 성모병원에 들를 적마다 안부를 주고받던 사이였습니다. 이분을 떠올릴 때면 환자를 보살피느라 온몸을 던지는 의료진들을 위해 경건한 마음으로 고마움의 기도를 드립니다.

병균이 인류를 호되게 수련시키는 것 아닌가 싶을 정도로 힘든 시기를 우리는 함께 지나왔습니다. 수녀원의 공동체 생활은 모두에게 큰 힘이 되어주었습니다. 성 베네딕도의 가르침인 '기도하고 읽고 일하라Ora Lege Labora'의 세 축을 충실히 지키며 공동체 생활을 유지했어요. 기도하고 일하는 가운데, 영적인 독서를 통해 몸과 마음도 돌볼 수 있었답니다.

영적인 독서는 정신을 깨워줍니다. 홀로 기도하고 주어진 직분에 따라 충실히 노동하는 것이 수련 생활이지만, 왜 우리가 함께 생활하는지 성찰하는 힘이 없다면 아무 의미도 없겠지요.

한 가정 안에서도 여러 형제들이 부대끼며 자라는 과정을 통해 자신을 찾아갑니다. 그것이 바로 공동체 생활입니다. 옛 은수자들은 외따로 떨어져 밥도 혼자 먹고 생활도 홀로 했지만, 제가 속한 큰 공동체에서는 같이 호흡 맞추는 것을 강조합니다. 신과 나를 수직적으로 잇는 관계

뿐만 아니라, 나와 함께 수행하는 이들과 어떻게 하면 수평적인 관계를 이룰 수 있을까 생각합니다. 더불어 살면서 선을 추구하는 일이 수행의 중요한 방식입니다.

내 뜻을 낮추어 상대방과 맞추자고 마음먹을 때마다 외우는 명언이 있습니다. "하느님을 찾았으나 뵈올 길 없고, 영혼을 찾았으나 만날 길 없어, 형제를 찾았더니 셋 다 만났네." 어느 교부의 말씀인데 무릎을 탁 칠 만한 명언이지요. 부부가 함께 피정하는 모임에서 한 시간 동안 이야기를 나눌 때 이 명언을 응용해서 강연을 했어요. "하느님을 찾았으나 뵈올 길 없고, 영혼을 찾았으나 만날 길 없어, 짝을 찾았더니 셋 다 만났네." 모두가 웃었습니다. 정말 그럴싸하지 않나요?

가끔은 부엌일을 하다가도 행주질 하나에 의가 상할 때가 있습니다. 다들 자기 방식을 고집하기 때문에 생기는 일이지요. 그러나 곧 '영혼의 구원이 행주질에 있는 것도 아니고 방식이 다르다고 세상이 끝나는 것도 아닌데, 이렇게까지 신경을 곤두세울 일인가' 하며 마음을 내려놓습니다. 일상의 이런 작은 연습들이 우리가 함께 살고 있다는 사실을 일깨워줍니다.

요즘은 혼자 잘 사는 법에 대한 이야기가 많이 나옵니

다. 홀로 밥을 먹고 여행하는 문화도 자연스러운 세상이 됐어요. 그런 문화가 퍼지는 중에도 서로를 향해 지어주는 따뜻한 표정과 챙겨주는 손길이 그리울 때가 있을 거예요.

어린 시절, 제가 사는 수녀원이 있는 부산에 피난을 온 적이 있습니다. 그때는 주인집과 세 든 사람들 사이에 어떤 계층 차이도 못 느끼며 더불어 살았어요. 그 기억이 지금도 남아서인지 부산 사람들은 정이 많다는 느낌을 받습니다. 가끔 식당에 들르면 하나라도 더 챙겨주려는 이들의 모습에서 '공생'이라는 말의 의미를 새삼 생각합니다. 무엇보다 지역에서 안타까운 일이 생기면 저절로 내 일처럼 여기게 되지요.

2002년 4월에 김해에서 비행기가 추락해 많은 사람이 사망했는데, 한 달 뒤에 온 나라가 월드컵 열기에 취하게 되었습니다. 유족과 친지들은 얼마나 외로웠을까요. 당시 저는 컴퓨터를 잘 사용하지 못하던 때였음에도 유족들의 홈페이지가 있다 하여 일부러 찾아 들어간 적이 있습니다. 제가 할 수 있는 일은 기도 시 한 편을 올리는 것이 다였지만요. 모두 웃고 있을 때 우는 사람을 바라보는 것, 외로운 사람의 손을 잡아주는 것이 함께 사는 일일 거예요.

그 이후 유족 중 한 분이 수녀원에 찾아와 인사를 전해

주셨습니다. 한 편의 시가 유족들에게 큰 위로가 되었다고, 제 덕분에 마음이 부드러워졌다고 말이지요. 슬픈 마음을 알아주었을 뿐인데 작은 위로가 되었다니…….

대구 지하철 참사 때도 세월호 생존자들과 만날 때도 그랬듯, 슬픔에 빠진 사람을 위해 우선적으로 움직이게 됩니다. 그것이 공생을 위해 저에게 주어진 작은 위로자 역할이 아닌가 싶습니다. 같이 잘 사는 것, 생명이 있는 동안 서로의 온기로 따듯하게 지내는 법을 늘 연습합니다.

오늘 아침
내 마음의 밭에는
밤새 봉오리로 맺혀 있던
한 마디의 시어詩語가
노란 쑥갓꽃으로 피어 있습니다

비와 햇볕이
동시에 고마워서
자주 하늘을 보는 여름

잘 익은 수박을 쪼개어
이웃과 나누어 먹는
초록의 기쁨이여

우리가 사는 지구 위에도
수박처럼 둥글고 시원한
자유와 평화

가득한 여름이면 좋겠습니다

오늘 아침 나는
다림질한 흰옷에
물을 뿌리며 생각합니다

우울과 나태로
풀기 없던 나의 일상日常을
희망으로 풀 먹여 다림질해야겠음을

지금쯤 바삐 일터로 향하는
나의 이웃을 위해
한 송이의 기도를 꽃피워야겠음을

「여름일기 2」

힘들고 지쳤을 때, 누군가 건네준 위로와 희망이 담긴 한마디 말이 한 사람의 인생을 바꿀 수도 있습니다. 돈 안 들이고도 할 수 있는 따뜻하고 긍정적인 치유의 말을 표현하는 데 우리는 왜 그리 인색한지요! 불평과 한탄과 원망의 말은 그리 쉽게 하면서 말입니다. 막말을 쏟아내고도 겸손되이 용서를 청하기보다는 '난 뒤끝이 없다, 말이 생각보다 앞서 헛나갔다'는 식으로 자기변명과 합리화에 길들여져 상대방과의 관계를 악화시키기도 합니다. 상대의 말에 어울리는 사랑의 맞장구를 잘 쳐주고, 중간에 끼어들지 않고 끝까지 웃으며 들어주고, 사소한 일로 우기다가 험한 말로 의가 상하지 않도록 깨어 있기 위해 노력하기로 다짐해봅니다.

『그 사랑 놓치지 마라』 중에서

제가 잘한 일도 없는데
이렇게 아름다운 꽃을 보내시다니요!

내내 부끄러워하다가
다시 생각해봅니다

꽃을 사이에 두고
우리는 다시 친구가 되는 거라고

우정과 사랑을 잘 키우고 익혀서
향기로 날리겠다는 무언의 약속이
꽃잎마다 숨어 있는 거라고—

꽃을 사이에 두니
먼 거리도 금방 가까워지네요

많은 말 안 해도

더욱 친해지는 것 같네요

꽃을 준 사람도 꽃을 받은 사람도
아름다운 꽃이 되는 이 순간의 기쁨이
서로에게 잊지 못할 선물이군요

사랑한다는 말 고맙다는 말
침묵 속에 향기로워
새삼 행복합니다

「꽃을 받은 날」

사랑과 용서는
어쩌다 마음 내키면 하는
그런 것이 아니야

아침에 눈을 뜨고
저녁에 눈을 감을 때까지
하루의 모든 순간에

사랑이 필요하고
용서가 필요하고
화해가 필요하다

그래서
순간마다
깨어 있지 않으면
큰일 나는데

그것이

너와 내가 살아가는

인생인 거야, 알았지?

나도 다시 알았어

「매일의 다짐」

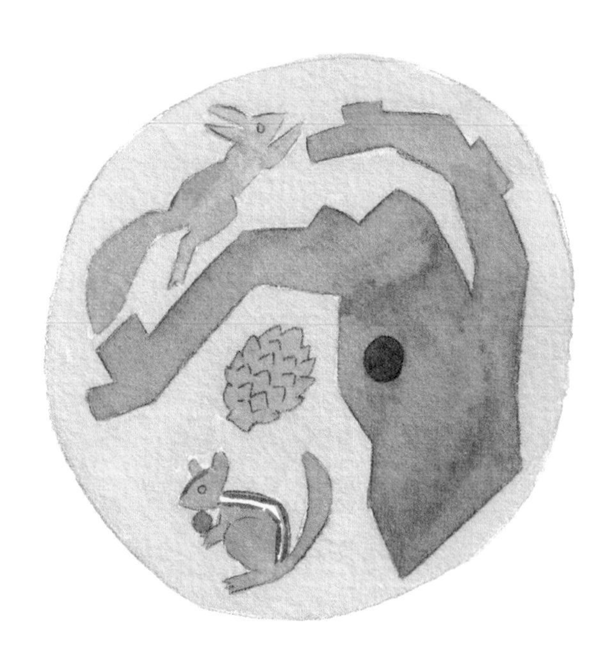

가족은 가장 가까이에서 영향을 주고받는 사람들이죠. 같이 살든지 안 살든지 간에 존재가 핏줄로 이어져 있고요. 혈친이니까 떨어질 수 없는 관계인데 우리는 너무 끈끈하다 못해 헤어지면 큰일 나는 것처럼 생각하고 기대를 너무 많이 해요. 가족이라는 이름으로 너무 그 안에만 갇혀 있는 사고가 우리 문화 안에 있습니다.

저는 좀 더 큰 틀에서 인류 가족을 생각해야 한다고 여겨요. 가족을 통해서 인격이 형성되고 영향을 주고받지만 마침내 우리는 가족이라는 울타리를 뛰어넘어야만 성숙한 사람이 되지 않을까 하는 거죠. 가족의 개념을 좀 더 넓혀서 모르는 이웃도 가족으로 껴안을 수 있는 마음이 될 때 마침내, '나'라는 또 하나의 생명이 태어난 의미가 완성된다고 봅니다.

우리는 '수도 가족'이란 말을 자주 쓰거든요. 피는 안 섞였지만 "동생 수녀님" "언니 수녀님" 그렇게 말해요. 나를 형성하는 가장 가까운 존재들이죠. 바로 그렇게 영향을 주고받는 관계가 가족 관계의 핵심이잖아요. 혈연만이 아니라 모든 생명들이 연결되어 있는 그 지평까지 마음을 넓혀간다면 우리의 일상은 더욱 평화로워질 수 있다고 봅니다.

『이해인의 말』 중에서

싫다 좋다
옳다 그르다
판단의 말을 충동적으로
쉽게 하지 않는 사람

좀체 화를 내지 않지만
남에게 조금이라도
언짢은 행동을 했다 싶으면
즉시 용서를 청하는 사람

남에게 잔소리와 넋두리를 안 하고
자신이 먼저
솔선수범하는 사람

선한 일을 하고도
생색내지 않고
고요히 침묵하며

담백한 표정을 짓는 사람

자신의 삶을
끊임없이 성찰하고
남에 대해서는 사소한 것에도
사랑의 배려가 앞서는 사람

언제 어디서나
자연스러운 표정과 몸짓으로
남에게 부담을 주지 않는 사람

「지혜로운 사람」

구슬이 서 말이라도 꿰어야 보배라지요
언어가 그리 많아도
잘 골라 써야만 보석이 됩니다

우리 오늘도 고운 말로
새롭게 하루를 시작해요
녹차가 우려내는 은은한 향기로
다른 이를 감싸고
따뜻하게 배려하는 말

하나의 노래 같고
웃음같이 밝은 말
서로 먼저 찾아서 건네보아요
잔디밭에서 찾은 네잎클로버 한 장 건네주듯이—

'마음은 그게 아닌데 말이 그만……'
하는 변명을 자주 하지 않도록

조금만 더 깨어 있으면 됩니다
조금만 더 노력하면
고운 말 하는 지혜가 따라옵니다

삶에 지친 시간들
상처받은 마음들
고운 말로 치유하는 우리가 되면
세상 또한 조금씩 고운 빛으로 물들겠지요
고운 말은 세상에서
가장 좋은 선물이지요

「고운 말」

사랑은 "함께 걸어가는 것"이며 "함께 핀 안개꽃"이라고 정의한 신영복 교수님의 말을 더 자주 생각하게 되는 요즘입니다. 공동체 생활은 더욱 그러하답니다. 건성이 아니라 진정으로 '함께!'하는 사랑이 중요한 것일 테지요. 사랑하는 일은 가장 위대한 일이지만 제대로 하려면 정말 보통 일이 아니에요! 먼 데 있는 이들보다 가까운 이들을 지극히 사랑하는 일이 만만치가 않다는 것이지요.

『사랑은 외로운 투쟁』 중에서

기쁨

아무 근심과 걱정, 슬픔이 없다고 기쁜 것은 아니지요. 무탈한 상태에서도, 심지어 힘든 상황에서도 기어코 기쁨을 찾아내려는 노력이 필요합니다. 한번은 투병으로 고통을 견디고 있으면서 왜 그토록 기쁨이라는 단어를 자주 사용하느냐는 질문을 받았습니다.

병원에 입원 중일 때는 산책하고 싶다, 링거병 없이 자유롭게 걷고 싶다 간절히 바랐습니다. 퇴원하면서 비로소 이렇게 자유롭게 걷는 것이 기쁨이구나, 살아 있는 것 자체가 기쁨이구나 생각하게 되었지요. 저는 우울한 상황에 놓이면 어떻게든 밝은 쪽으로 나아가려고 합니다. 노력하다 보면 고마움이라는 특효약이 효과를 발휘해 기쁨을 떠올리게 합니다.

저는 '명랑 수녀'로 남고 싶습니다. 수녀회는 규칙이 엄격해서 근엄하고 엄숙한 태도로 살 것, 즉 '수녀다움'을 교육받지만, 살아볼수록 하느님을 향해 가는 세상은 생명력 넘치는 발랄한 세계라는 생각이 들었습니다. 제가 하는 수행은 침울한 것과는 어울리지 않습니다. 밝고 명랑한 태도가 기도와도 연결되고, 명랑한 투병 생활이 곧 저의 삶이 됩니다.

그렇다고 마냥 웃고 지내기만 하는 것은 아닙니다. 예비 수녀 시절 이야기인데요. 어머니가 보내주신 소포를 받고 너무도 반갑고 좋아 나도 몰래 콧노래를 흥얼거렸습니다. 그때 같은 방 안에는 어머니를 여읜 자매가 있었는데, 깜빡 잊고 소포에만 빠져 있었던 거지요. 그날 오후, 철없이 기뻐했던 저를 돌아보면서 자매의 마음을 헤아려 보았습니다. 내색은 안 했지만 속으론 얼마나 슬펐을까요. 공동체 안에서는 기쁨을 덜 드러내야 하는 때도 있다는 걸 새삼 깨달았습니다. 그러려면 더욱 세심한 주의를 기울여야겠지요.

제가 종종 꺼내어 읽는 책 중에 『폴리애나』(과거에는 『파레아나의 편지』로 번역됐었습니다)라는 소설이 있습니다. 미국에서는 기쁨을 취한다는 뜻의 '폴리애나이즘pollyannaism'이라는 단어가 파생되어 사전에 등재될 만큼 유명한 책이에요. 목사의 딸인 폴리애나는 크리스마스 날 선물을 뽑을 때 인형이 나오길 바랐지만 지팡이를 선물받게 되었습니다. 속상해서 우는 폴리애나에게 아버지는 울지 말라며, 지금 지팡이가 필요 없다는 사실을 기뻐하면 되지 않느냐고 말했습니다. 폴리애나는 그때 깨달았습니다. 없는 것이 오히려 기쁨이 될 수도 있다는 사실을요. 소설에는 폴리애나를 구박하는 이모도 등장하는데, 소녀는 아버지가 돌아가신 뒤 쫓겨나듯 옥탑방으로 가게 된 상황에서도 아버지의 교훈을 잊지 않습니다. 옥탑방에서는 하늘의 별을 더 잘 볼 수 있으니 기쁘다며 '기쁨의 게임'을 했지요. 또 이모가 폴리애나를 골탕 먹이려고 먼 동네로 심부름을 보내면 너무 멀지만 새로운 동네와 새로운 사람을 만날 수 있어서 기쁘다고 말합니다. 기쁨의 게임을 통해 성장하는 폴리애나 덕분에 마귀 할머니 같던 이모도 회개하고, 온 마을이 기쁨으로 가득해진다는 내용의 소설입니다.

저 역시도 일상 속에서 기쁨의 게임을 합니다. '버스가 늦게 오면 그 시간 동안 더 많은 생각을 할 수 있어서 기뻐. 이렇게 살아서 치료를 받을 수 있음에 기뻐' 같은 식으로 게임을 해보는 겁니다. 가톨릭에서는 이를 '작은 비결'이라고 부르는데, 자기만의 비결로 삶을 관통하는 기쁨을 찾아내는 것이에요. 좋은 일이 생겨야만 기쁜 것이 아니라, 살아 있고 좋은 날이 올 것이라는 믿음을 갖고 살아가면 기쁨의 영성이 절로 생겨납니다.

논어에 나오는 구절 중에 '겨울이 되어서야 소나무가 더디 시드는 걸 알게 된다'는 말이 있습니다. 고난이나 곤궁에 처할 때 비로소 존재의 귀함을 알게 된다는 뜻으로, 달리 말하면 힘든 상황에서도 기쁨을 찾아낼 수 있다는 뜻이기도 합니다. 또 '어둡다고 불평하는 것보단 촛불 하나라도 켜는 게 낫다'라는 말도 있습니다. 오늘은 남은 생애의 첫날이잖아요. 하루하루를 좋은 말들을 끌어안으며 살고 싶습니다.

성철 스님은 "수행이란 안으로는 가난을 배우고 밖으로는 모든 사람을 공경하는 것이다. 어려움 가운데 가장 어려운 것은 알고도 모른 척하는 것이다. 용맹 가운데 가장 큰 용맹은 옳고도 지는 것이다. 공부 가운데 가장 큰 공부는 남의 허물을 뒤집어쓰는 것이다"라고 하셨습니다. 다른 것은 흉내를 내보겠는데, 허물을 뒤집어쓰는 것만큼은 차마 엄두가 나지 않습니다.

기쁨은 구체적인 말씀을 실천하거나 따라 하는 가운데서도 발견할 수 있습니다. 막연하게 기쁨을 얻고 싶다 생각하기보다 기억하고 싶은 명언, 대상을 떠올리며 일상 속에서 기쁨을 찾아내려고 해보세요. 저는 제 뜻처럼 안 될 때 "주님께서 저를 사랑하신 것처럼 저도 당신을 사랑하려면 당신의 사랑을 빌릴 수밖에 없다"라는 너무나도 인간적인 성녀 소화 데레사의 고백을 떠올리면서 용기를 냅니다.

하느님의 사랑은 무이자로 빌리면 됩니다. 무기력하게 숨지 말고, 완벽해지려 안달복달하지 말고, 그 사랑을 빌리면서 기쁘게 살자고 생각하면 큰 위안이 됩니다.

바람에 실려
푸르게 날아오는
소나무의 향기 같은 것

꼭꼭 씹어서 먹고 나면
더욱 감칠맛 나는
잣의 향기 같은 것

모든 사람을
차별 없이 대하고
사랑할 때의
평화로움 같은 것

누가 나에게
싫은 말을 해도
내색 않고
잘 참아냈을 때의

잔잔한 미소 같은 것

날마다 새롭게
내가 만들어 먹는
기쁨 과자 기쁨 초콜릿
기쁨 음료수

그래서 나는 평생
배고프지 않다

「기쁨의 맛」

반세기의 수도 생활 동안 수없이 기쁨에 대한 책을 읽고 묵상하고 설교도 했으나, 이제야말로 저는 자신 있게 기쁘다는 말을 할 수 있을 것 같습니다. 살아서 눈을 뜨는 것, 신발을 신는 것, 하늘과 바다와 꽃을 보는 것, 사람을 만나는 것 그리고 그날이 그날 같은 단조로운 일상의 시간표조차도 모두 새롭고 경이로운 감탄사로 다가옵니다. 살아서 누리는 평범하고 작은 기쁨들, 제가 마음의 눈을 뜨고 깨어 있으면 쉽게 느낄 수 있는 소소한 일상의 행복을 이젠 제 탓으로 놓치고 싶지 않습니다. 인간관계에서 조금은 져주면서 살고 이기심과 욕심을 내려놓는 연습을 잘 해야만 내적 기쁨이 더욱 빛을 발한다는 것을 다시 배우는 요즘, 기쁨으로 만든 과자, 기쁨으로 빚은 음료수를 누구에게 전할까 궁리하는 것만으로도 저는 금방 행복해집니다.

『그 사랑 놓치지 마라』 중에서

은행나무를 흔드는 바람 소리가
오늘은 세상에서 가장 아름다운 음악입니다

비에 쓰러졌던 꽃나무들이
열심히 일어서며 살아갈 궁리를 합니다

흙의 향기 피어오르는 따뜻한 밭에서는
감자가 익어가는 소리

엄마는 부엌에서 간장을 달이시고
나는 쓰린 눈을 비비며 파를 다듬습니다

비 온 뒤 햇살이 찾아준 밝은 웃음을 나누고 싶어
아아 아아 감탄사만 되풀이해도 행복합니다

마음이여 일어서라 꽃처럼 일어서라
기도처럼 외워보는 비 온 뒤의 고마운 날

나의 삶도 이제는

피아노 소리 가득한 음악으로 일어서네요

「비 온 뒤 어느 날」

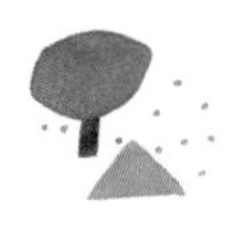

제게 편지는 수도원과 세상을 이어주는 다리 역할을 해주며 자칫 좁아지기 쉬운 제 경험의 폭과 시야를 넓혀주는 창문이 되어줍니다. 여행을 할 때도 색연필, 편지지, 고운 스티커 등의 편지 재료들을 늘 갖고 다니다 보니 가방이 가벼울 때가 없습니다. 급할 땐 가끔 이메일이나 팩스를 이용하지만, 번거롭더라도 겉봉에 주소를 쓰고 우표를 붙이며 갖는 정성스러운 기쁨과는 바꿀 수가 없습니다.

『사랑은 외로운 투쟁』 중에서

나는 기쁨이란 단어를 무척 사랑한다. 어린 시절부터 세상 모든 것들이 나에겐 다 신기하게 여겨져 행복했고 놀라운 것들이 하도 많아 삶이 지루하지 않았다. 나의 남은 날들을 기쁨으로 물들여야지 하고 새롭게 다짐하고 또 다짐한다. 마음의 창에 기쁨의 종을 달자. 사랑하는 이들을 기쁨으로 불러 모으자. 슬픈 이들, 아픈 이들, 우울한 이들, 괴로운 이들이 아주 사소한 것에서도 기쁨을 발견하도록 돕는 기쁨천사가 될 순 없을까? 어쩌면 기쁨은 우리가 노력해서 구해야 할 덕목이기도 하다는 것을 우리는 자주 잊고 사는 것 같다. 욕심을 조금만 줄이고 이기심을 조금만 버려도 기쁠 수 있다. 자만에 빠지지 말고 조금만 더 겸손하면 기쁠 수 있다. 남이 눈치 채지 못하는 교만이나 허영심이 싹틀 때 얼른 기도의 물에 마음을 담그면 기쁠 수 있다.

『희망은 깨어 있네』 중에서

'난 딱히 종교가 없지만요,
일생을 혼자 살며 이웃을 돕는 이들
정말 대단하다고 생각해요'
어느 날 이렇게 말하는 택시 기사에게 나는 말했다

'이렇게 하루하루 열심히 살아가시는 그 모습도
정말 대단하신 거예요'
운전대 앞에 염주나 묵주도 아닌
붉은 장식품이 걸려 있어 물었더니
'술 담배도 못하는 내 유일한 취미는 낚시인데요,
일하다 지치면 미리 기뻐하며 웃어보려고
이렇게 '찌'를 달아둔 거죠'

'그래요 재미있는 충전법이군요
수도자의 기도 생활에도
늘 기쁨의 되새김이 필요하거든요'

물고기를 잡고도 다시 놓아준다는 그는
목적지에 도착해 굳이 차비를 덜 받으려고 하여
나는 시집 한 권을 선물했다

가끔 삶이 메마르고 힘들 적엔
곱게 포장된 '찌'를 바라보며
씨익 웃는 순박한 그 얼굴이 생각나
함께 웃어보는 삶의 기쁨이여

「택시 안에서」

꽃이 진 자리마다
열매가 익어가네

시간이 흐를수록
우리도 익어가네

익어가는 날들은
행복하여라

말이 필요 없는
고요한 기도

가을엔
너도 나도

익어서

사랑이 되네

「익어가는 가을」

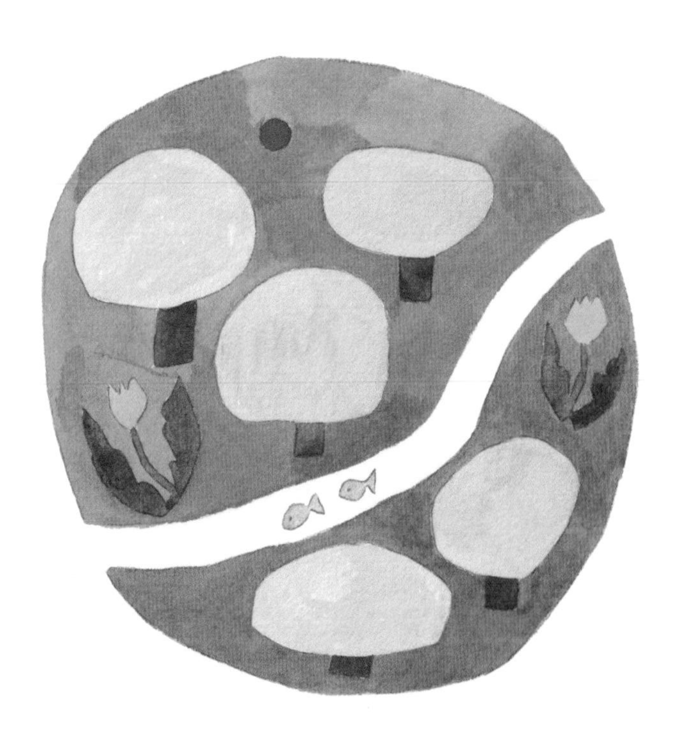

물론 평범 속에 기쁨이 있어요. 그럼에도 내 몫으로 주어진 역할 속에서 치열하게 살아야지요. 꽃이 다르게 피듯 몫이 다 다르잖아요.

제가 좋아하지 않는 말이 "별거 아니야, 별일 아니야" 입니다. 어떻게 별거 아니고 별일 아닌 게 되겠어요? 법정 스님도 사람들에게 "새롭게 피어나십시오, 새롭게 태어나십시오", 그렇게 '새롭게'라는 말을 썼어요. 그 새롭게라는 말이 투병하고 나니까 정말 새롭다는 생각이 들었습니다. 평범함 속에서도 비범함을 찾는 새로움, 그 평범함 속에 숨어 있는 행복을 찾는 비범함이 잘 사는 삶이고 내가 노력해서 얻는 내적인 기쁨입니다. 그 기쁨은 누가 빼앗아갈 수 없죠.

『이해인의 말』 중에서

위로

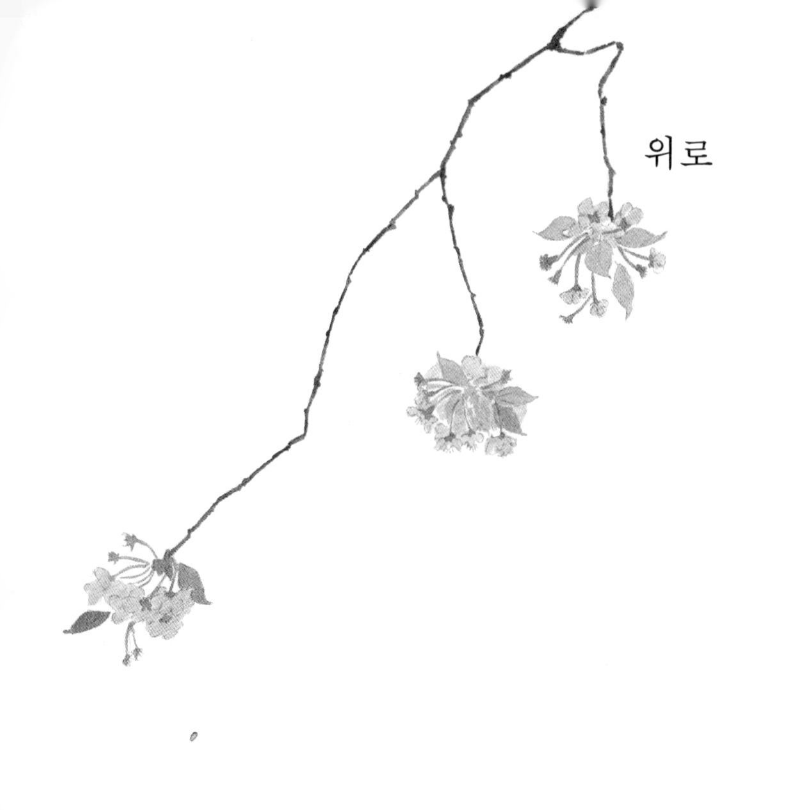

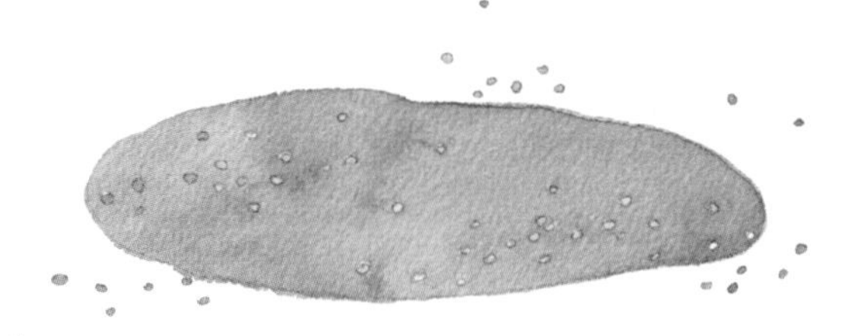

하루에도 몇 번씩 어려운 상황에 놓인 사람들이 연락을 줍니다. 기도가 필요하다고, 위로가 필요하다고 말이지요. 좋은 일로 축복받고 싶어 하는 사람보다 상실감과 우울감 때문에 위로받고 싶어 하는 사람이 훨씬 많습니다.

위로에는 진심이 담겨야 하는데, 진심을 표현하기란 여간 어려운 게 아닙니다. 제가 자주 쓰는 한 가지 방법은 나의 약점을 자랑하는 것입니다. 나의 부족한 면을 먼저 드러내면서 세상 사는 동안 부끄러움은 늘 나의 몫이라고 말하고 나면, 상대방은 편안하게 자신의 어려움을 이야기합니다. '수녀님도 스스로를 부족하다 여기는구나' 하는 안도감 같은 것이 마음을 부드럽게 만드는 것 아닐까 생각합니다.

수도자는 나와 꽤 멀리 떨어져 있는 사람, 비현실적인 세계에 사는 사람이라고 생각했다가 인간적인 갈등과 고민은 비슷하다는 걸 알고 위로를 받는 듯했습니다. '다들 사느라 힘드네요. 저만 그런 게 아니었어요. 다시 몸과 마음을 추슬러봐야겠어요'라며 돌아가는 이들을 보며 사실은 제가 더 큰 위로를 받는 것 같습니다.

위에서 내려다보는 것처럼 설교하듯 교훈을 주려 한다면 쉽게 위로가 되지 않겠지요. '그쪽에서 그렇게 하신 것도 대단한 겁니다. 나 같으면 그렇게 못 했을지도 몰라요'라는 말을 진심으로 전하고, 상황에 대한 아픔을 공유하면 다시 살아갈 힘을 얻을 수 있습니다.

저는 언제나 '신발을 바꿔 신는 연습'을 합니다. 상대방 입장이었다면 어떻게 행동했을까 이해하기 위해 그 사람의 신발을 신어보는 마음가짐을 갖는 것이에요. 상담을 전공하지 않아도 서로의 입장을 이해하려는 노력만으로 위로가 됩니다.

자신의 약점을 말하는 데는 용기가 필요합니다. 성경 말씀에도 나오듯이 겸손해질 수 있는 용기 덕에 약점도 자랑할 수 있는 것입니다. 제가 쓴 많은 시는 위로를 얻기 위해 저를 찾아주는 사람들 덕분에 지을 수 있었습니다. 웃으면 같이 즐거워하고, 울면 같이 슬퍼하는 위로자의 역할을 앞으로도 계속하고 싶습니다.

수도 생활에서는 긴 시간 외부인과 만날 수 없을 때가 많아, 짧은 시간 동안 영성의 말씀들을 많이 이용하고 나눕니다. 작은 책자를 만들어 같이 읽기도 하고요. 사람을 따뜻하게 대하는 것 역시 수련과 이어집니다. 평소 '접인춘풍 임기추상接人春風 臨己秋霜'이란 말을 좋아하는데요. 다른 이를 대할 때는 봄바람처럼 따뜻하게, 나를 대할 때는 가을 서릿발처럼 엄격하게 하라는 뜻입니다.

위로는 거창할 수가 없어요. 위로는 모두 작습니다. 상대방의 상황을 헤아리며 겸손하게 자신의 부족함을 드러내고 나누는 데서 위로는 시작됩니다.

20여 년 전, 일본의 한 지하철 선로에서 일본인을 구하려다 자신을 희생한 이수현이라는 청년이 있지요. 그의 이야기는 영화화되기도 하고, 책으로도 나왔습니다. 한번은 그의 어머니를 만난 적이 있습니다. 아들 잃은 어머니 심정이 오죽했겠어요. 어머니는 세월이 지나도 잊을 수 없는 아들 생각에 힘들어하다가도, 자식의 희생을 알아주는 사람들을 만나면 위로가 되었다고 했습니다. 독실한 불교신자이신데 수녀인 제 손을 잡고 마음에 위안을 얻으시는 모습을 보면서, 위로에는 어떤 조건도 없으며 종교가 달라도 마음은 통한다는 사실을 다시금 깨달았어요. 어쩌면 제가 가장 잘하는 일은 '작은 위로자'의 역할인지도 모르겠습니다.

향을 피워도 눈물뿐

꽃을 바쳐도 눈물뿐
우린 이제
어찌해야 하나요?

단풍이 곱게 물든
이 가을에
너무 큰 슬픔이 덮쳐
우린 마음 놓고
울 수도 없네요

어떡하니?
어떡해요?
어떻게 이런 일이?
이게 꿈이 아닌
현실이라고?

아무리 외쳐봐도
답은 없고
공허한 메아리뿐!

숨을 못 쉬는 순간의

그 무게가 얼마나
힘들고 답답하고
두려웠을지!

지켜주지 못해
미안하다는 말도
선뜻 할 수가 없어
그냥 그냥
두 주먹으로
가슴만 치고 있네요

한번 제대로 일어서지도 못하고
무참히 깔려 죽은
우리의 소중한
젊은이들이여

이 땅에서 다신
이런 일 안 생기게
최선을 다할게요
그대들 못다 이룬
꿈들을 조금씩

사랑으로

희망으로 싹틔우고

꽃피워서

그대들의 희생이

헛되지 않게 할게요

멈추지 않는 눈물과

슬픔의 심연 속에

사랑을 고백합니다

잊지 않을게요

기도할게요

우리의 하얀 슬픔을

상복으로 입고서

안녕, 안녕이라고

지난해 이태원 참사를 추모하며 지어 올린 「슬픔 속 작은 기도」라는 시입니다. 이 시는 아물지 않은 상처를 간직한 남은 가족들과 친구들을 위한 것이지만, 한편으로 저를 위한 것이기도 합니다. 슬픔 속에서도 기도를 잃지 않으려는 마음을 담았으니까요. 세상 모든 아이들의 어머니 노릇은 못 해도 이모 노릇은 하려는 건 위로자라는 역할에 대한 담담한 사명감 때문입니다.

위로가 없다면 이 힘들고 어려운 세상을 어찌 헤쳐나가겠습니까. 오늘도 위로 덕분에 하루를 열고, 하루를 닫을 수 있습니다.

제게 있어 글을 쓴다는 의미는 하나의 노래와 같고 기도의 연장이라고 봅니다. 타고르가 말한 신의 '갈대 피리' 같은 것이라고 감히 말할 수도 있겠지요? 마더 테레사가 자신을 하나의 '몽당연필'로 표현했듯이 저의 시도 사랑과 평화의 몽당연필 노릇을 하는 것이라는 생각을 더러 한답니다. 물론 그런 목적을 갖고 쓰는 것은 아니지만 제 단순하고 소박한 글들이 때로는 이웃에게 날아가 치유의 역할을 담당한다고 여겨질 적엔 참 기쁩니다.

『사랑은 외로운 투쟁』 중에서

오늘도
한 줄기 햇빛이
고맙고 고마운
위로가 되네

살아갈수록
마음은 따뜻해도
몸이 추워서
얼음인 나에게

햇빛은
내가
아직 가보지 않은
천상의
밝고 맑은 말을
안고 와
포근히

앉아서

나를 웃게 만들지

또

하루를

살아야겠다

「햇빛 일기」

생사의 위기에 있는 아픈 이들을 직접 방문하고 나면 딱히 할 말이 없어지고 위로의 말조차 궁해지곤 합니다. 잠시라도 상대방을 위로하고 기쁘게 해줄 수 있는 '사랑의 기술'이 부족한 스스로의 가난함을 슬퍼하는 순간들이 있습니다. 이왕 내게 온 아픔을 잘 감수하고 다른 이에겐 필요 이상의 요구로 부담을 주지 말아야지 수도 없이 결심해보지만 뜻대로 되질 않기에, 어느 날 '마음이 많이 아플 때/ 꼭 하루씩만 살기로 했다/ 몸이 많이 아플 때/ 꼭 한순간씩만 살기로 했다/ 고마운 것만 기억하고/ 사랑한 일만 떠올리며/ 어떤 경우에도/ 남의 탓을 안 하기로 했다'(「어떤 결심」에서)라는 구절을 적어보기도 했습니다.

건강할 때는 저도 늘 아픈 이의 고통을 헤아리기보다는 입에 발린 좋은 말, 상투적이며 교훈적인 말로 자기중심적인 위로를 했고 이것이 늘 마음에 걸립니다. 아픈 이는 건강한 이들에게 건강한 이들은 아픈 이들에게 서로를 온전히 헤아리지 못하는 한계를 받아들이며 조금은 미안한 마음, 겸손한 마음으로 사랑하며 살아가는 것만이 우리가 주고받을 수 있는 진정한 위로가 아닐는지요. 진심이 담긴 한마디의 말, 쾌유를 비는 간절한 눈빛, 대신 아파주지 못하는 안타까움을 나름대로 표현하는 것만으로도 작은 위로의 선물이 될 것입니다.

『그 사랑 놓치지 마라』 중에서

길을 걷다가

하도 아파서

나무를 껴안고

잠시 기도하니

든든하고

편하고

좋았어요

괜찮아

곧 괜찮아질 거야

나뭇잎들도

일제히 웃으며

나를 위로해주었어요

힘내라 힘내라

바람 속에 다 같이

노래해주니

나도 나무가 되었어요

「나무를 안고」

너는 항상
멀리 날아야 되니
아파도
아프다고 말 못 할 적이 많지?
사랑의 먼 길을 떠나는
나도 그렇단다

백일홍 꽃밭에
잠시 쉬러 온 네게
나는
처음부터 사랑을 고백한다
샛노란 옷을 입고
내 앞에서 춤추는 너를 보는데
가슴이 뛰었단다

내가 하고 싶은 말을
너는 이미 알고 있지?

나의 눈물도

너는 보았지?

내가 기쁠 때

함께 웃어다오

내가 힘들 때는

작은 위로자가 되어다오

「나비에게」

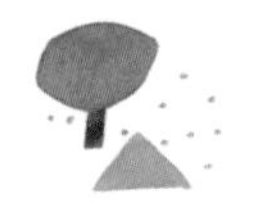

초등학교 방학 때 언니한테 놀러 가면 가르멜 수녀님들이 제게 초콜릿을 주면서 구호물자 속에 딸려온 카드를 한 묶음 주셨어요. 미국 사람들이 쓰고 남은 카드가 거기까지 온 건데요. 내용이 다양합니다. 그 카드에 마음이 끌리면서 왠지 나는 이다음에 커서 카드로 집을 지어야 할 것 같은 느낌이 들었어요. 아름다운 카드와의 첫 만남이었습니다.

그리고 그때 가르멜 수녀님들이 카드를 만들어서 각지에 팔았습니다. 전후라서 생계가 막막하니까 종이를 접어 거기에 그림을 그리고 좋은 말을 쓰는 거죠. 요즘으로 치면 시즌별 카드를 만든 겁니다. 졸업 시즌, 결혼 시즌, 생일 때는 '축하해', 멀리 떠나는 친구에게는 '잘 가, 건강해.' 아주 다정한 말을 쓴 카드예요. 카드에 적힌 말들이 어린 저를 사로잡았습니다. '이렇게 말로써 섬세한 위로를 줄 수 있구나!' 무척이나 새로웠습니다. '나도 세상 모든 이에게 사랑을 전하는 위로천사로 살고 싶다'는 생각이 어렴풋이 들었죠.

지금 제가 하는 역할이 위로받고 싶은 영혼들에게 수호천사로 다가가는 거잖아요. 제가 덕이 많아서가 아니라 시를 쓰고 편지에 답하면서 그 일을 자연스레 해왔고 생을 마칠 때까지 해야 할 일도 그 일이지 않은가 생각합니다.

『이해인의 말』 중에서

슬플 때도 꽃
기쁠 때도 꽃

사람들은
늘 꽃을 찾으며
위로를 주고받지

슬플 때도 기도
기쁠 때도 기도

무슨 일이 생기면
사람들은
기도부터 청하면서
마음의 평화를 구하려고 하지
꽃이 기도가 되고
기도가 꽃이 되는
아름다운 길 위에서

꽃을 닮은 사람들을 보니

너도 행복하지 않니?

「꽃과 기도」

지상에서

고통의 소금 한 움큼씩

삼킬 적마다

천상에는 나의 별이

환히 웃고 있다

때로 기쁨이 고통 되고

고통이 기쁨 되는

삶의 길에서

나는 밤마다

별이 되는 꿈을 꾼다

「나의 별」

감사

제가 꺼리는 태도 중 하나는 타인에게 '모든 것에 감사해야 해'라고 가르치듯 말하는 태도입니다. 감사란 강요하거나 당연하다고 여기는 정서가 아니지요. 내가 속한 이 세상, 이 자연에 저절로 고마움을 느낄 때 긍정심도 같이 끌어 올려집니다.

어떤 정신과 의사가 감사도 훈련이라고 했습니다. '감사 근육'을 키워야 자주 감사한 마음이 생긴다는 말이었어요. 그래서 감사 일기를 쓰라는 둥 이런저런 요령을 알려주는 것을 들은 적이 있는데, 그 방법을 따라 하지는 않지만 감사도 훈련이라는 말에는 동의합니다.

저는 투병 중이니 살아 있다는 사실이 가장 감사합니다. 매일매일 아직 숨 쉬며 살아 있다는 것이 얼마나 감사한지요. 힘들 때 감사한 마음을 갖기란 보통 어려운 일이 아닙니다. 그럴 때 저는 저 자신에게 고맙다는 말을 되풀이했습니다. '살아 있어서 고맙다, 오늘도 숨 쉴 수 있어서 고맙다' 끊임없이 말하다 보면 내면에 기도의 말이 조용히 차오릅니다.

살아 있어 고통스럽다고 말하는 이웃을 만날 때도 있습니다. 그분들에게 저는 말합니다. 우리는 모두 언젠가 죽습니다. 끝이 있는 삶이니 그 과정에서 겪는 고통을 삶의 과정이라 생각하고, 다시 한번 용기 내어 자신에게 말해주세요. "고맙다, 고맙다, 살아 있어서 고맙다."

제가 쓴 어떤 글에 달린 가슴 아픈 댓글이 떠오릅니다. '희망은 깨어 있다고? 살아 있는 것 자체가 희망이라고? 죽고 싶어도 못 죽고 살아 있는데 무슨 소리냐' 같은 말이었어요. 그분을 위해 기도하고 답을 썼습니다. '이 순간은 지나갑니다. 끝은 있는 법이에요. 살아 있기에 고통과 아픔도 느끼는 것이니 조금만 참고 지나가봅시다'라고요. 이런 답을 쓰면서도 그 사람에게 응답할 수 있다는 상황 자체가 감사했습니다. 스스로 절실하게 살아 있음을 감사하지 않으면 결코 할 수 없는 말이니까요.

아프고 고통스러우면 희망이 없다는 타인의 말에 쉽게 마음이 흔들릴 수 있습니다. 하지만 그럴수록 진심으로 감사한 마음을 갖고 그 사람까지 밝은 쪽으로 끌어 올리려고 애써야 합니다. 홀로 어둠 속에서 원망에 차 있는 사람을 찾아내야 합니다. 우리 모두 삶에서 그런 시기와 순간을 맞닥뜨린 적이 있었잖아요. 감사함을 회복할 계기를 마련해주어야 합니다.

거듭 말하지만 저는 아침에 일어나 걸을 수 있는 것도 감사하고, 다른 사람을 위해 기도하는 마음이 꺼지지 않는 것도 감사하고, 글을 쓸 수 있는 힘이 생기는 것도 감사하며, 이 글을 읽어주는 독자가 있다는 것이 감사합니다. 이 정도면 '감사의 여왕'이라도 된 것 같은 기분입니다.

감사하는 마음은 결국 이웃에게 나누는 마음으로 귀결됩니다. 내 삶을 긍정하는 것을 넘어서 이웃에게 도움이 되는 마음이 바로 감사이지요. 제 하루의 처음과 마지막 기도, 한 해의 처음과 마지막 기도는 "감사합니다"가 되도록 숨결 같은 노래처럼 그 말을 읊조리고 싶습니다.

새벽에 일어나 성당으로 가는 길에는 유난히 빛나는 별 몇 개가 손에 잡힐 듯이 떠 있곤 했다. 밤에 보는 별과는 또 다른 느낌을 주는 새벽의 별.

훤히 깨어 있는 그 모습에 정신이 번쩍 들었다. 남들이 잠들어 있는 동안에도 고요히 빛을 밝혀주는 별, 누가 알아주지 않아도 제자리에 머물다가 고요히 사라지는 별. 어쩌면 참기도자의 모습도 별과 같은 것이 아닐까. 오랜 세월 동안 나를 위해 기도해준 이들의 모습도 하늘에 떠 있었다.

늘 사랑의 빚을 많이 지고 사는 나는 별을 보며 다짐하였다. 더 많이 감사하기 위해 기도하자. 더 깊이 사랑하기 위해 기도하자. 이제 무엇을 자꾸 달라고 보채기만 하는 기도는 그만하자고 마음먹었다.

『기쁨이 열리는 창』 중에서

내가 힘들 때
이것저것 따져 묻지 않고
잠잠히 기도만 해주는
친구를 주셔서
감사합니다

내 안에
곧잘 날아다니는
근심의 새들이
잠시 앉아 쉬어가는
나무를 닮은 친구를 주셔서
감사합니다

아프지 않아도
문득 외로울 때
그 사실 슬퍼하기도 전에
내가 다른 사람들을

외롭게 만든 사실을

먼저 깨닫고

슬퍼할 수 있는 마음을 주셔서

감사합니다

「작은 감사」

아주 사소한 일에서도 감사하는 마음을 발견하고 키우고 익히며 표현하는 연습을 꾸준히 하다 보면 밝은 웃음꽃이 저절로 피어날 것입니다. 행복이 가까이 숨어서 손 흔들고 있는데 우리가 미처 알아보지 못해 놓치고 있는지도 모릅니다. 사랑의 길에 있어서도 누가 자꾸 무엇을 해주길 바라기보다는 내가 먼저 사랑하려는 용기를 지니고 꾸준히 실습하다 보면 마음의 문도 조금씩 넓어지는 걸 경험합니다.

아침에 눈을 뜰 적마다 '어서 오세요, 시간이여' 하며 정답게 인사하고, 밤에 잠자리에 들 때는 '오늘 하루도 고마웠어요' 하며 시간과 좋은 친구가 되는 성실한 노력을 거듭해야겠습니다. 일이 뜻대로 안 되거나 넘어지고 실수해도 절망의 늪에 빠지지 않고 다시 시작할 수 있는 겸손을 배우고 싶습니다.

『그 사랑 놓치지 마라』 중에서

아침엔 바이올린 선율로
한낮엔 피아노 선율로
저녁엔 첼로의 선율로
나에게 오는 시간들은
오늘도 처음의 선물

고맙다 고맙다 인사하는 동안
행복이 살짝 문을 열고 들어오네
나를 잊을 수 없다 하네
아프고 힘들었던 지난날의 시간들도
어느새 흰나비로 날아와
춤을 추며 부르는 노래

'감사하세요, 오늘을'
'사랑하세요, 오늘을'

「시간의 선물」

바다도 아름답지만

밭도 아름답다

바다는 멀리 있지만

밭은 가까이 있다

바다는 물의 시지만

밭은 흙의 시이다

상추, 쑥갓, 파, 마늘

무, 배추, 당근, 오이

흙냄새 나는 이름들을

하나씩 불러보면

내 마음을 가득 채우는

새로움, 놀라움

고마움의 빛

나는 더없이 부드럽고
따뜻하게 열려 있는
엄마 밭이 되고 싶다
흙의 시가 되고 싶다

「밭도 아름답다」

나무야 안녕?

너는 내가

자면서도 무슨 생각을 했는지

다 알고 있지?

사람들은

내 말을 건성으로 듣는데

너는 항상

끝까지 잘 들어주고

때로는 앞질러 들어주어

정말 고마워

사랑은

잘 듣는 것 외에

다른 것이 아님을

너는 매번 새롭게

깨우쳐주는구나

나도 너를 닮은

한 그루 나무가 되어

세상을 향해

두 팔 벌리고

사람들을 만날게

사랑의 첫 마음으로

잘 듣는 사람이 될게

「나무에게」

절약을 위해 난방시설을 연탄으로 바꾸니 군고구마나 군밤도 먹을 수 있어 좋다는 어느 꽃집 아주머니의 이야기에서, 멋지고 낭만적인 여행은 이제 꿈도 못 꾸겠기에 짬짬이 좋은 책이나 실컷 읽으며 황폐해진 내면을 재충전한다는 어느 주부의 다짐에서, 저에게 들려주고 싶은 감동적인 동화를 기계로 복사하는 대신 손으로 써서 보낸 어느 교사의 정성에서, 그리고 이면지의 허름한 종이에 편지를 보내오는 어느 소녀의 고운 마음에서 오늘을 열심히 사는 이들의 모습을 느끼며 눈시울이 뜨거워집니다. 그럴 때면 무심히 받아 안고 다니던 햇살이 더욱 고마워 한참 동안 하늘을 올려다보곤 하지요. 내 마음에도 밝은 햇살을 들여놓고 새봄을 살아야겠다고, 희망의 봄을 이웃들에게도 전해야겠다고 다짐하면서 성서를 펴듭니다.

『사랑은 외로운 투쟁』 중에서

수녀님 생일 선물로
내가 꽃을 심은 거
보았어요?

'꽃구름'이란 팻말이 붙은
나의 조그만 꽃밭에
80대의 노수녀님이 심어준
빨간 튤립 두 송이가
활짝 웃으며
나를 반기는 아침

처음 받아보는
꽃밭 편지로
나에겐 오늘
세상이 다 꽃밭이네

「꽃밭 편지」

해 뜨기 전에
하늘이 먼저 붉게 물들면
그때부터
내 가슴은 뛰기 시작하지

바다 위로
둥근 해가 서서히 떠오르는 아침
나는 아무리 힘들어도
살고 싶고 또 살고 싶고
웃고 싶고 또 웃고 싶고

슬픔의 어둠 속에 갇혀 있던
어제의 내가 아님에
내가 놀라네

날마다 새롭게 떠오르는
둥글고 둥근 해님

나의 삶을

갈수록 둥글게 해주셔서

고맙습니다

날마다 새롭게 떠오르는

빛을 내는 해님

만나는 모든 이를

빛으로 사랑할 수 있게 해주셔서

고맙습니다

「해를 보는 기쁨」

한 번밖에 없는 삶을 긍정하고 살았으면 좋겠습니다. 자칫 자기 존재를 부정하고 평생을 툴툴대다가 삶을 끝낼 수도 있어요. 죽는 순간에 '아유, 그러지 말걸' 후회하잖아요. 그러지 않으려면 평소에 감사하는 연습과 사랑하는 연습을 놓치지 말고 시간을 잘 활용하시라고 말씀드리고 싶습니다.

주어진 시간이 오늘뿐이다 여기면, 마주하기 싫은 상대라도 내일은 내가 세상에 없을 거라는 생각에 한번 웃는 용기가 올라옵니다. 우리는 인생이라는 연극 속에 사는 한 명의 연습생이기에 그 용기를 반복하여 수련하다 보면 예측 불허한 상황에 놓이더라도 조금은 의연해질 수 있어요.

『이해인의 말』 중에서

사랑

사랑은 관심입니다. 관심이 없으면 아무것도 보이지 않지요. 사랑은 상대를 잘 바라보는 데서 시작합니다. 옆 사람이 벗어놓은 신발이 널브러져 있을 때 조용히 제자리에 돌려놓는 것, 친구가 떨어뜨린 휴지를 아무도 모르게 주워서 버리는 것이 사랑의 표현이라고 생각합니다.

공동체 안에서도 손아랫사람이 가끔 자기도 모르게 불손한 태도를 취할 때가 있는데, 그걸 콕 짚어 지적하거나 따지지 않고 왜 그런 행동을 했는지 살피는 것이 사랑의 방식 아닐까요. 온유하게 참고 기다려주세요.

'사랑하세요'라는 말보다 '사랑하도록 노력하세요'라는 표현이 더 맞으리라 봅니다. 저도 피에르 신부가 말한 "삶이란 사랑하기 위해 주어진 얼마간의 자유 시간"을 잘 살고 싶습니다. 사랑하기 위해 주어진 얼마간의 시간을 미워하고 따지는 데 쓰기엔 아깝잖아요.

수녀원이 부산에 있어, 우리 공동체의 말투도 경상도답게 변하고 태도도 조금은 무뚝뚝해진 편입니다. 이런 정서가 있다 보니 남의 실수에 대해 금세 말하는 사람은 없어요. 묵묵히 참아주고 넘어가준다는 느낌을 받을 때가 많습니다. 사랑이 없으면 성립할 수 없는 관계이지요. 저는 바로 이런 사소한 데서 사랑받고 있다고 느낍니다.

한번은 친하다고 여기던 한 수녀가 찾아와 제가 뒤에서 자신을 흉보았다고 따졌습니다. 그럴 리가 없는데, 영문을 알 수 없어 아니라고 했지만 말로는 해결되지 않았습니다. 그래서 홀로 강력한 사랑의 기도를 드렸어요. 기적처럼 3일 만에 그 수녀가 다시 와서 자신이 오해한 것 같다고 고백했습니다. 기도의 힘을 믿고 있음에도 얼마나 기뻤는지 몰라요. 이 또한 사랑이 있기에 가능한 일이었습니다.

요즘은 옛 생각을 자주 하는데, 특히 청소년 시절 사랑받은 기억은 지금도 선명합니다. 백일장에서 큰 상을 받으면 많은 사람이 칭찬을 아끼지 않고 격려해주었어요. 남자 친구들도 꽤 많았고, 이성 간의 사랑이나 교제에도 어느 정도 관심을 가질 때였습니다. 한번은 원주 원동성당에서 특강을 하는데 지팡이를 짚은 할아버지 한 분이 다가와서 십대 시절 참가한 '신라 문화제 백일장' 상장을 펼쳐 보이는 게 아니겠어요! 제가 장원이고 자신이 차상이었다고 말하는데 어찌나 반갑고 놀랐는지 모릅니다. 백발이 되어 이루어진 소녀와 소년의 만남 덕분에 학창 시절의 여러 추억을 곱씹는 시간을 보냈습니다.

십대 때 가르멜 수도회의 수녀가 된 언니가 준 편지는 저를 새로운 사랑의 세계로 나아가도록 이끌기도 했어요. '너는 아직 어려 남자 친구들이 좋아한다고 하니 미래의 결혼을 꿈꿀 수도 있다만, 한 사람의 연인보다 모든 이의 연인이 되는 것은 어떻겠냐'는 요지의 편지였습니다. 그러니까 한 사람만 사랑하는 것을 넘어서 모든 사람을 사랑하라는 말이었어요. 방학 때마다 언니를 찾아가다 마침내 수도자의 삶을 선택하게 되었습니다. 지금 생각해보면 언니의 애정이 더 큰 사랑의 세계를 보여주었고, 그 세계로 저를 인도해준 것 같습니다. 언니는 이제 세상에 없지만, 지금도 사랑에 관한 이야기를 할 때면 꼭 떠오르는 얼굴입니다.

사랑의 길이 험할지라도 하느님의 사랑을 향해 꾸준히 나아간다고 생각해보세요. 보이지 않는 사랑의 세계란 얼마나 근사하고 아름다운지요. 그 보이지 않는 사랑의 세계를 글로 쓰는 저로 인해 성당에 가고 교회에 간다는 이들의 말을 들으면, 사랑이 또 다른 사랑을 낳는구나 믿게 됩니다. '사랑의 순환 열차'라고 불러도 좋지 않을까요? 우리가 서로 사랑한다는 것은 실로 놀라운 일임이 분명합니다.

일을 하다가도
자꾸만
웃고 싶은 마음

혼자 있으면서도
세상을 다 가진 듯
충만한 마음

누가 시키지 않아도
자꾸만 무얼 주고 싶고
나누고 싶은 마음

아픈 것도
내색 않고
끝까지 참고 싶은 마음

장미를 닮은

사랑의 기쁨이겠지
가시가 있어도 행복한
사랑의 기쁨이겠지

「사랑의 기쁨」

내 일생 동안
편지로 집을 지었네
사랑의 무게로 가득한
사계절의 집
나는 저세상으로
다 이고 갈 수도 없고
세상에 두고 가면
누가 다 읽을까?
이 많은 사랑의 흔적
어떻게 버릴까
오늘도 고민인데
편지의 집 속에
사는 이들이
나를 향해
웃다가 울다가
노래하다가
마침내 내 안에 들어와

우표 없는

기도가 되네

「편지의 집」

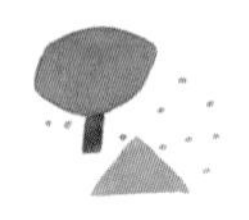

수도자가 되어서도 제게 좋은 감정으로 다가왔던 사람들, 제가 좋아했던 사람들이 있긴 했어도 보다 큰 하느님 사랑 안에 그 사랑을 승화시켜가도록 힘껏 노력하였으므로 오늘의 제가 있다고 봅니다. 저는 이것을 저의 노력과 은총의 도움이 합해서 이루어진 하나의 예술이라 보고 싶기도 해요.

사랑이란 것을 단적으로 정의하기 쉽지 않지만 '너를 통해서 나를 보고 느끼고 나누면서 하나 되는 것'이라는 생각이 드네요. 저의 경우, 하느님과의 수직적인 관계와 이웃과의 수평적인 관계가 다 사랑 안에서 이루어졌다고 보면 됩니다. 사랑은 감상만이 아니고 관계 안에서 끊임없이 노력하는 것이라는 생각도 새롭습니다. 제게 있어 사랑은 한결같이 돌보고 섬겨야 할 '또 하나의 나'의 모습으로 비칩니다.

『사랑은 외로운 투쟁』 중에서

여기는 바다

고통 속에 진주를 만드는
기다림의 세월

마르지 않는 눈물로
당신을 사랑합니다

여기는 산

뿌리 깊은 나무를 키우는
흙냄새 가득한 기도

끝없는 설레임의 웃음으로
당신을 사랑합니다

「사랑의 말」

내가
눈이 맑은 어린이들과
바닷가에서
마음껏 뛰어노는 꿈을 꾸고 난
행복한 아침

오래된 친구와 같이
바닷가에 나갔더니
물새들이 달려와
반겨줍니다

흰모래 위에서
수평선을 바라보며
사랑을 고백하는 행복
이 사랑은

하도 깊고 넓어서

고백의 말이 끝나질 않네요

기다리다 못해
푸른 파도가
밀려오고 밀려가며
끝도 없는 내 마음
대신 고백해줍니다

「바다의 연인」

내가 사랑 안에 있으면 자연도 친근하게 다가오지만 내 안에 사랑이 출렁이지 않으면 해·달·별·나무가 그리 큰 의미로 다가오지 않습니다. 내 입장에서도 보면 뭔가 삶이 기쁘고 사랑 안에 있을 때 온갖 자연과 사물에 설렜어요. 우주 만물이 하나로 연결되어 있기에 더욱 답은 사랑입니다. 내 안의 사랑이 결핍돼 있을 때는 자연도 별로 달갑지 않고, 귀찮은 존재로 보이고 심지어 돈으로 보여요.

우리는 단지, 사랑하려는 노력을 하다가 떠나는 사랑의 순례자입니다. 사랑에 대해 너무 말을 많이 했는데요. 그럼에도 진짜 사랑은 쉽지 않다고 생각해요. 완벽한 사랑을 했다고 말할 수 있는 사람이 과연 몇 명이나 될까요? "사랑하려는 노력 속에 최선을 다했다" 이렇게 말할 수는 있지만 "나는 사랑 자체였다"고 말하기는 어렵잖아요. 자녀에 대한 부모의 사랑도 그렇고요. 끊임없이 탐구하는, 사랑 공부가 필요합니다. 사랑의 기술, 우정의 기술은 인내하고 배려하고 겸손함으로써 닦아지는 기술인 것 같아요. 전문가가 되려면 얼마나 많은 것을 알아야 합니까?

그처럼 우리가 가톨릭 수도원에서 잘 쓰는 말로 “존재는 죽을 때까지 깨어 있어야 한다”는 말을 하고 싶습니다.

『이해인의 말』 중에서

사랑하는 순간마다
나의 손은
날마다 새롭게
길이 된다
누군가를 포근하게
안아줄 때
기도의 순간마다
마음 다해 두 손 모을 때
사랑하는 이를 위하여
음식을 만들 때
편지를 쓸 때
나의 손에는
강물이 흐른다
살아온 모든 시간을
지나온 세월을
다 기억하고 있는
나의 손

고마운 손

「나의 손은」

가장 투명한 거울
당신 앞에선
나의 일생이
다 보이네요

겉은 차갑고 속은 따스한
당신이 있어
오래오래
허물 많은 나를
기다려준 당신이 있어
여기까지 왔습니다
슬픔도 아픔도 억울함도
고요한 눈길을 하고
어느 순간 내게 와서
기쁨이 되었습니다
갈수록 더
당신을 사랑하지 않을 수가 없네요

기도의 거울인 당신 앞에 서면

오늘도 맑고 정직해집니다

너무 행복해서

조금 울게 됩니다

나 자신이 온전한 침묵으로

스러질 때까지

나는 더 당신을 사랑하며 살겠습니다

나의 믿을 곳 나의 숨을 곳

나의 구원이 되어주세요

「침묵 연가」

사랑한다는 말 대신
잘 익은 석류를 쪼개 드릴게요
좋아한다는 말 대신
탄탄한 단감 하나 드리고
기도한다는 말 대신
탱자의 향기를 드릴게요
푸른 하늘이 담겨서
더욱 투명해진 내 마음
붉은 단풍에 물들어
더욱 따뜻해진 내 마음
우표 없이 부칠 테니
알아서 가져가실래요
서먹했던 이들끼리도
정다운 벗이 될 것만 같은
눈부시게 고운 10월 어느 날

「10월 엽서」

용서

학교폭력을 주제로 한 드라마가 인기를 끄니 저에게 복수와 용서에 대해 묻거나 글을 청탁해 오는 경우가 많습니다. 용서는 쉽지 않지요. 한 가지 기억해야 할 것은 용서는 자신을 위하는 일이라는 점입니다. 평화롭지 않은 마음으로 살아가야 할 스스로를 해방시키기 위해, 자유롭게 하기 위해 나를 힘들게 한 사람에게 꽃을 보내는 심정으로 용서하는 것입니다.

지금은 좀 달라졌지만 예전에는 무슨 잘못을 하면 그것을 기워서 갚는다는 '보속'이란 것을 공동체에서 주기도 했습니다. 벌을 주는 주체가 따로 없더라도 스스로 보속하면서 자신을 성화시켜가는 연습을 합니다.

그러나 학교폭력이나 범죄처럼 사회적인 문제가 되는 행동은 결코 하느님의 이름으로 회개한다고 해서 없어질 성질의 잘못이 아닙니다. 어디까지나 사회적인 양식과 합의를 이룬 기준에 따라 대가를 치러야 합니다. 용서는 다른 차원의 이야기입니다.

용서라는 행위는 여간 어려운 일이 아니기에 기도하고

시를 쓰는 등 노력이 필요합니다. 저 또한 '일곱 번씩 일흔 번이라도' 용서하고 용서했던 예수님의 말을 묵상하면서 살려고 노력합니다.

살다 보면 누군가에게 억울한 오해를 받기도 하고 무시당할 때도 있습니다. 더 나쁜 상황으로는 폭력적인 피해를 입는 경우도 있습니다. 그럴 때 우리는 어떻게 해야 할까요. 그 죄에 대해서는 묻되, 자신의 마음에서는 미워하는 마음이 열어지도록 노력해야 합니다. 내 마음이 괴로우면 평화가 없고, 평화가 없으면 삶의 기쁨도 없습니다.

독자들 중에는 저의 시 「용서의 꽃」을 읽고 미워하는 사람에게 꽃을 건넬 용기를 낼 수 있었다고 말한 이도 있습니다. 저도 수녀원에서 어떤 일로 마음이 상하면 그 일에 관계된 수녀 방에 꽃 한 송이를 갖다놓곤 합니다. 말로는 도저히 풀 수 없는 마음을 꽃 한 송이로 대신하는 것이지요. 용서는 자신의 마음 안에서 이루어집니다. 사람보다 꽃이 더 많은 말을 하게 해야 합니다.

오늘 하루도
감사했습니다

저의 생각과 말과 행동으로
사랑을 거스른
모든 잘못에 대해
용서를 청합니다

제가 사랑하는 이들의
잘못에 대해서도
용서를 청합니다

깊은 밤에는
그들의 속울음 소리가
제게까지 들려와
눈물을 흘리는 시간입니다

근심 걱정 다 잊어버린

맑고 단순한 평화

꿈나라에서

다시 만들어

아침을 맞이할 수 있기를

오늘도 겸허히

두 손 모읍니다

「밤 기도」

며칠 전 우리 수녀원에서는 한 해를 마무리하며 서로 용서를 청하는 시간을 가졌습니다. 하도 친숙해서 평소엔 미처 발견하지 못한 그들의 장점이 다시 보이기 시작해 마음 찡한 감동을 받았습니다.

함께 사는 일이 아름답고 평화롭기 위해서는 서로 간의 인내가 필요할 것입니다. 다른 이의 먼지 묻은 신발을 깨끗이 닦아주는 맘으로 상대의 약점을 참아주는 노력이 필요합니다. 다른 사람의 입장을 헤아릴 줄 알아야 한다는 뜻으로 사용하기도 하는 '신발을 바꾸어 신어보자'는 말도 종종 기억하면서, 맘에 안 드는 부분이 있더라도 서로서로 너그럽게 감내하는 덕을 조금씩 쌓으면서 삶의 순례를 계속하는 행복한 사람들이 되면 좋겠습니다.

『그 사랑 놓치지 마라』 중에서

산다는 것은
날마다 새롭게 용서하는 용기
용서받는 겸손이라고
일기에 썼습니다

마음에 평화가 없는 것은
용서가 없기 때문이라고
기쁨이 없는 것은 사랑이 없기 때문이라고
나직이 고백합니다

예수님도 말씀하시네요
일곱 번씩 일흔 번이라도 용서하라고
마음에 드는 사람뿐 아니라
원수까지 사랑하는 법을 배우라고—
이렇게 노력하다 보면
하늘문 가까이 이를 수 있겠지요

수백 번 입으로 외우는 기도보다
한 번 크게 용서하는 행동이
더 힘 있는 기도일 때도 많습니다

누가 나를 무시하고 오해해도
용서할 수 있기를
누가 나를 속이고 모욕해도
용서할 수 있기를
간절히 청하며 무릎을 꿇습니다

세상에서 가장 큰 기쁨은
용서하는 기쁨
용서받는 기쁨입니다

「용서의 기쁨」

남이 나를 힘들게 할 때도 많지만 내가 스스로 힘들게 할 때가 더 많은 것 같습니다. 대개 자신에 대해 실망하거나 어떤 일로 동료들과의 관계에 불협화음이 일어나 마음의 평화가 깨지는 것을 경험할 적에 그렇습니다. 또는 일시적이나마 그 누구를 용서할 수 없는 마음이 될 적에도 그렇고요. 하지만 명색이 수도자라서 그런지 이 미움을 그리 길게 끌진 못합니다. 감정 조절이 안 되면 일단 성당에 가서 기도하거나 성경을 읽거나 평소에 좋아하는 음악을 들으며 마음을 진정시키도록 노력합니다. 때로는 친한 벗에게 마음을 털어놓으며 기도를 청하기도 하고요.

한 가지 명심해야 할 것은, 우리는 보통 다른 사람에겐 엄격하고 자신에겐 관대하게 행동하기 쉽지만 인격적으로 사랑을 넓혀가는 성숙한 사람이 되려면 그 반대로 나 자신에겐 엄격하고 다른 사람들에겐 관대한 삶을 살아야 한다는 것입니다.

『사랑은 외로운 투쟁』 중에서

산과 들에
밤새 흰 눈이 많이 쌓이고
내 마음엔
시를 닮은 생각들이 많이 쌓이고

아무도 밟지 않은 눈길을 걸으니
세상 사람 모두가
흰옷을 입은 눈사람으로
나에게 걸어오네

순간마다
마음이 순결해지는 눈나라에선
미운 사람 아무도 없고
용서 못 할 사람 아무도 없네

햇빛에 녹아 사라질 때까진
너도 나도

그냥 웃으면 되지

「눈꽃 노래 3」

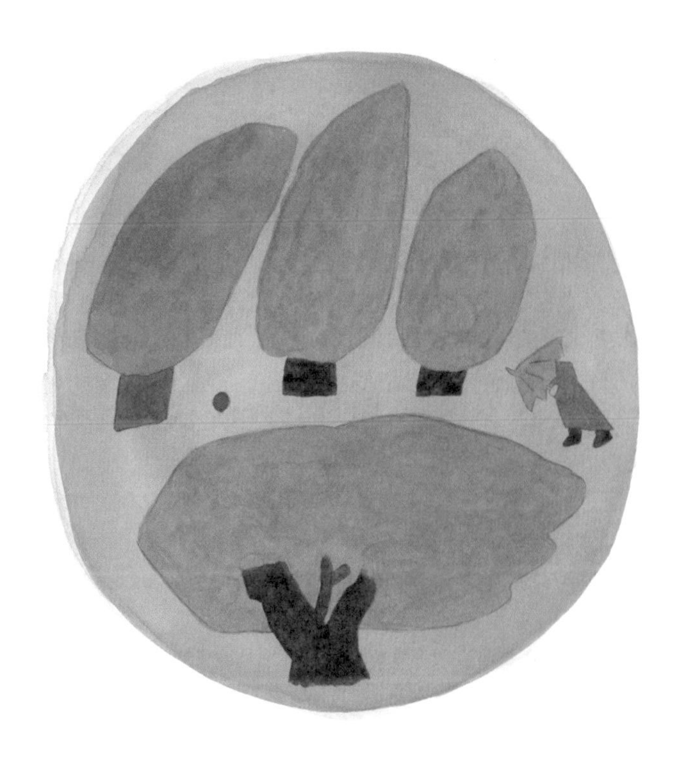

마음먹고 시작한 나의 이야기
아무도 귀담아 듣지 않고
바람 속에 흩어버릴 때

말로는 표현 못 할
내 맘속의 슬픔과
자신에겐 길었던
고통의 순간들을
내 가까운 사람이
다른 이에게
너무 짧고 가볍게 말해버릴 때

새롭게 피어나는 나의 귀한 꿈을
어떤 사람은
별것 아닌 것으로 여기며
허무한 웃음으로 날릴 때
나는 조금 운답니다

성자들은 자신의 죄만 크게 여기고

남들은 무조건 용서한다는데

남의 죄를 무겁게 여기고

자신의 죄는 가볍게 여기는

나 자신을 다시 바라볼 때도

나는 조금 운답니다

슬픔은 이리도

내게 가까이 있는데

어떻게 순하게 키워서

멀리 보내야 할지

이것이 나에겐

어려운 숙제입니다

「슬픈 날의 일기」

살아보니까 부족한 나를 끌어안고 위로해줘야 잘 살아갈 기회를 갖더라고요. 제가 아플 때 스스로 이렇게 말을 걸었어요. '너무 게을러서 많이 걷지도 않고 앉아만 있어서 미안해, 몸의 소리에 귀 기울이지 못해서 큰 병을 키웠어, 미안해' '지금부터라도 잘할게. 좀 더 퍼지지만 말아줘' '암세포야, 내가 할 일이 있단다. 조금만 더 참아줘.' 그렇게 대화하고 나면 이웃을 대하는 제 시선도 따뜻해져요. 안달복달하며 자기의 약점을 안 보이려고 안간힘을 쓰는 것, 그것은 올바른 수행 방법이 아닌 것 같아요. 부끄러운 부분이 있으면 "죄송합니다" 하며 용서를 청하는 용기, 그게 필요해요. 남뿐 아니라 나의 못난 부분이 나아지기까지 지켜보는 견딤의 영성, 그게 이 시대의 표상이 될 것 같습니다.

『이해인의 말』 중에서

생각만으로
용서하는 건
용서가 아닙니다
실천하고 또 실천해야
용서 근방에 있는 거예요

몇 시간은 며칠이 되고
몇 달은 몇 년이 되고
평생으로 갈 수도 있으니

힘들어도 용서는
빨리할수록 좋고
다른 이의 잘못을 되새김하며
시간을 미룰수록 안 좋은 것
알면서도 잘 안 되지요?

뜻대로 되지 않아 힘이 들 적엔

하늘 보고 웃어요
간절하고 단순하게
기도를 해요

미움의 지옥
불화의 연옥
다시 만들지 말고
평화의 천국을
앞당겨 살 수 있게

오늘도
최선을 다해보기로 해요

「용서 일기」

희망

제가 많이 아팠을 적 낸 책이 『희망은 깨어 있네』입니다. 지금도 저에게는 그때처럼 큰 희망이 있습니다. 팔순을 앞두고 있으니 더 간절해진 희망이기도 해요. 바로 수도자로서 순례의 여정을 잘 마치고, 주님을 섬기는 학원인 우리 수녀회에서 학업을 잘 마무리한 뒤 선종하는 것입니다. 선하게 마무리하고 싶어요.

나이 들고 몸이 쇠약해지면 고향 갈 준비를 해야 합니다. 지상의 순례에는 반드시 끝이 있으니까요. 당장 내일이라도 치매에 걸려 많은 사람에게 폐를 끼칠 수도 있다는 생각을 하면……. 부디 그런 일이 없기를 기도하고 희망합니다.

올해도 수녀회 안의 수녀님 여러 명이 세상을 떠났습니다. 어떤 분은 화장을 해서 수녀원 묘지에 모시기도 하는데요. 비록 육신은 떠났지만 너무도 생생히 꿈에 나타나거나 기도 중에 바로 곁에 있는 것처럼 생전 모습이 떠오를 때면, 허무를 넘어 사랑의 현존으로 행복감을 맛보기도 합니다.

오래전 노수녀님을 간병하러 간 적이 있는데, 다음 날 새벽에 주무시듯 고요하게 선종하셨습니다. 지켜보던 우리가 당황하는 사이, 동료 수녀가 간절히 마지막 인사를 건넸습니다. "아주 가시는 건가요? 그럼 안녕히 가세요." 잠시 출장을 가거나 지상의 소임을 마치고 저쪽 세상으로 이사 가는 이에게 전하는 이별 인사 같아서 슬픈 중에도 빙긋 웃음이 나왔지요. 아직 가보지 않은 그 세상이 희망이라는 말은, 역설적이지만 죽음이 두렵지 않다는 말이기도 합니다.

또 하나의 큰 희망이 있습니다. 오랫동안 시를 쓰며 시인으로 살아온 만큼, 제 글이 계속해서 다른 사람들에게 위로와 용기를 주었으면 좋겠다는 것이에요. 고통에 대해서, 아픔에 대해서 써왔기 때문에 우리가 함께 힘을 낼 수 있었다고 믿습니다. 앞으로도 저의 글과 말이 많은 이에게 기쁨이 되었으면, 하는 희망을 품고 있습니다.

요즘은 조심스레 찾아오는 낯선 독자들을 새로운 마음으로 맞이하고 있어요. 한때 제가 죽었다는 잘못된 정보가 퍼진 적이 있었는데, 그래서인지 아직 살아 있나 확인하러 오는 독자들도 있더군요. 어쩌다 '희망의 아이콘 수녀'가 되었는지 모르겠지만, 저를 보러 와서 희망을 발견한다는 건 참 반갑고 고마운 일입니다.

교도소에서도 많은 연락이 옵니다. 괴로움을 토로하는 이들이 있는가 하면, 저의 책을 읽고 희망을 갖게 되었다는 이들도 있습니다. 그들에게 해줄 말은 하나밖에 없어요. 죄에 대해 묻거나 세상사를 가르치는 일이 아닙니다. 그저 자포자기하지 마시라는 말을 건넵니다. 우리의 미래가 어떤 모습일지는 아무도 모르니, 지금 반성하고 견디면 그 시간이 바탕이 되어 미래가 바뀔 수 있다고 말이지요. 쉽게 낙망하지 말라고 당부할 뿐입니다.

해인글방에는 신영복 선생님이 써주신 '平常心(평상심)'이라는 글씨가 걸려 있습니다. 저는 평범한 일상을 보내는 것이야말로 비범한 희망을 얻는 길이라고 생각합니다. 나에게 주어진 하루하루, 이 시간을 잘 살아내면 괜찮은 미래로 향할 수 있겠지요. 시간은 흐르고 우리는 조금씩 앞으로 나아갑니다.

병원이든 감옥이든 자신이 원하지 않는 곳에서 살고 있는 사람에게 필요한 것도 평범한 나날을 보낼 수 있는 인내심과 새로운 날을 맞이하리라는 희망입니다. 지난날을 한번 돌아보세요. 눈물 흘렸던 날과 숨 쉬기 힘들었던 날은 누구에게나 있습니다. 그래도 오늘은 웃을 수 있고, 자유롭게 활동할 수 있다는 것을 알면 미래의 희망도 결코 멀기만 한 것은 아닙니다.

일상을 충실하게 살아가면 희망이 싹을 틔울 거예요. 오늘도 저에게는 선종과 시에 대한 희망을 품은 채 살아갈 하루가 주어졌습니다.

나는

늘 작아서

힘이 없는데

믿음이 부족해서

두려운데

그래도 괜찮다고

당신은 내게 말하는군요

살아 있는 것 자체가 희망이고

옆에 있는 사람들이

다 희망이라고

내게 다시 말해주는

나의 작은 희망인 당신

고맙습니다

그래서

오늘도

나는 숨을 쉽니다
힘든 일 있어도
노래를 부릅니다
자면서도
깨어 있습니다

「희망은 깨어 있네」

늘 그렇게
고요하고 든든한
푸른 힘으로 나를 지켜주십시오

기쁠 때나 슬플 때
나의 삶이 메마르고
참을성이 부족할 때
오해받은 일이 억울하여
누구를 용서할 수 없을 때

나는 창을 열고
당신에게 도움을 청합니다

이름만 불러도 희망이 되고
바라만 보아도 위로가 되는 산
그 푸른 침묵 속에
기도로 열리는 오늘입니다

다시 사랑할 힘을 주십시오

「산을 보며」

마음이란 저를 살게 하는 뿌리 같아요. 뿌리가 흔들리면 나무 전체가 위태로워질 뿐 아니라 그 주변도 불안해지죠. 그래서 조심조심 다뤄야 한다고 생각합니다. 그렇게 내 마음이 우선 안정되면 바깥의 현상에도 더 민감하게 조응할 수 있고요. 더 진한 감동, 더 세밀한 감사가 일어나죠. 마음은 강이 되기도 하고 바다가 되기도 해요. 무한대로 흘러갈 수 있습니다. 선한 마음, 사랑의 마음으로 세상을 더 낫게 만들거나 구원할 수 있어요.

『그 사랑 놓치지 마라』 중에서

평범하고 사소한 것인데 놓쳐버린 것들이 있잖아요. 무심해서 별로 깨우치지 못하고 있던 일이나 관심을 안 가졌던 분들에게 다가가면서 희망을 발견합니다. 그리고 말로만이 아니라 행동으로 남을 기쁘게 할 때도 벅차올라요. 오늘도 제가 과일을 착즙기에 갈아서 주스가 필요할 만한 수녀님과 수녀원 일을 도와주시는 남자분들한테 드렸어요. 그날이 그날 같은 지루한 일상을 사는 분들한테 내가 할 수 있는 일들로 그분들의 일상에 기쁨을 드리면 오히려 내가 나를 발견한다 그럴까요? 저는 육체노동을 다리 아프다는 핑계로 빠지고 주로 정신을 쓰는 일을 했는데, 내가 몸을 움직임으로써 다른 사람을 기쁘게 할 수 있구나, 발견을 한 거죠. 토스트를 만들어 드린다든가 하면 마치 내 안에 어딘가에 있었지만 나오지 않았던 숨은 능력을 발굴한 것처럼 흡족합니다.

『이해인의 말』 중에서

나는 듣고 있네
내 안에 들어와
피가 되고
살이 되고
뼈가 되는
한 톨의 쌀의 노래
그가 춤추는 소리를

쌀의 고운 웃음
가득히 흔들리는
우리의 겸허한 들판은
꿈에서도 잊을 수 없네

하얀 쌀을 씻어
밥을 안치는 엄마의 마음으로
날마다 새롭게
희망을 안쳐야지

적은 양의 쌀이 불어
많은 양의 밥이 되듯
적은 분량의 사랑으로도
나눌수록 넘쳐나는 사랑의 기쁨

갈수록 살기 힘들어도
절망하지 말아야지
밥을 뜸 들이는 기다림으로
모락모락 피어오르는 희망으로
내일의 식탁을 준비해야지

「쌀 노래」

무언가를 새로이 시작한 날
첫 꿈을 이룬 날
기도하는 마음으로 희망의 꽃삽을 든 날은
언제나 생일이지요

어둠에서 빛으로 건너간 날
절망에서 희망으로 거듭난 날
오해를 이해로 바꾼 날
미움을 용서로 바꾼 날
눈물 속에서도 다시 한번 사랑을 시작한 날은
언제나 생일이지요

아직 빛이 있는 동안에
우리 더 많은 생일을 만들어요
축하할 일을 많이 만들어요
기쁘게 더 기쁘게
가까이 더 가까이

서로를 바라보고 섬세하게 읽어주는
책이 되어요

마침내는 사랑 안에서
꽃보다 아름다운 선물이 되어요
늘 새로운 시작이 되고
희망이 되어요, 서로에게—

「생일을 만들어요, 우리」

'주님, 평화로 가는 길은 왜 이리 먼가요. 얼마나 더 어둡게 부서져야 한 줄기 빛을 볼 수 있는 건가요. 멀고도 가까운 나의 이웃에게, 가깝고도 먼 내 안의 나에게 맑고 깊고 넓은 평화가 흘러 마침내 하나가 되기를 간절히 기도하며 울겠습니다'라고 기도한 적이 있습니다. 일이 제대로 안 풀려 살기 힘들고 속상한 때라도 미움, 저주, 한탄, 분노의 부정적인 푸념보다 한 줄기 희망과 긍정이 담긴 말을 더 하도록 애써야겠습니다.

『그 사랑 놓치지 마라』 중에서

봄이 일어서니
내 마음도
기쁘게 일어서야지
나도 어서
희망이 되어야지

누군가에게 다가가
봄이 되려면
내가 먼저
봄이 되어야지

그렇구나
그렇구나
마음에 흐르는
시냇물 소리

「봄 일기—입춘에」

우리가 비교급에서 조금만 탈피하면 삶이 달라질 수 있어요. 어떤 사람은 객관적으로 굉장히 불행한 상황인데도 잘 헤쳐 나오고, 나무랄 데 없이 다 갖췄으면서도 끊임없이 울적하다고 힘들어하는 사람이 있죠. 그래서 저는 '어둡다고 불평하는 것보다 촛불 한 개라도 켜는 것이 낫다'라는 중국 격언을 좋아합니다. 긍정적인 행동 하나가 희망의 촛불일 수 있거든요.

『그 사랑 놓치지 마라』 중에서

추억

해인글방 안쪽 공간에 수십 년간 받아온 편지들을 모아 두었습니다. '추억의 창고'라고 부르는 곳입니다. 다른 수녀들의 도움을 받아 연도별, 세대별로 편지들을 분류하고 묶어 잘 정리해놓았어요. 언젠가 제가 지상을 떠나더라도 편지들은 이곳에 남을 것이고, 추억도 계속 살아 있을 겁니다.

편지마다 보낸 이의 삶이 스민 이야기가 살아 숨 쉽니다. 각양각색의 사연이 담겨 있는데, 정작 당사자들은 편지를 보낸 사실조차 잊었을지도 모르겠어요. 아는 사람에게 자신이 보냈던 편지를 다시 보여주면 깜짝 놀랄 때도 있답니다. "제가 이런 고백을 했군요. 힘들었던 시절이라 수녀님께 편지로 위로를 받고 싶었나 봐요. 풋풋한 시절이 떠오릅니다"라며 잊었던 편지의 존재를 반가워하고 기뻐합니다.

수녀회에서도 편지를 주고받습니다. 저의 영명축일인 3월 20일에는 많은 수녀의 편지를 받아요. 그 편지들 역시 하나도 버리지 않고 모아둡니다. 시간이 흘러 편지를 준 수녀와 함께 다시 편지를 읽으면서 서로 신기해하기도 합니다. 그때 그 시간이 주었던 기쁨을 다시 한번 맛보는 것이지요. 지금은 손으로 쓴 글씨가 귀해졌지만, 제가 받는 편지는 거의 친필이랍니다. 사람의 글씨에는 그이의 혼도 담겨 있다고 생각해서 더욱 버릴 수가 없어요.

연도별로 정리한 편지들을 꺼내어 읽다 보면 사회적인 기록으로도 의미가 있음을 느낍니다. 편지에 적힌 고유명사나 사회적인 사건들은 개인의 사연을 넘어 한 사회의 작은 역사가 됩니다.

웬만한 자료들은 버리지 않고 모아두니 해인글방 곳곳에 옛 사진과 글 들이 차곡차곡 쌓여 있습니다. 그중 일부는 저의 모교인 성의여고로 옮겨질 예정이에요. 귀중한 자료들을 수녀원 안에만 두는 것보다 쉽게 발걸음할 수 있는 공간에 보관해 누구나 볼 수 있게 하자는 배려에서 이루어진 일입니다. 그래도 여전히 셀 수 없이 많은 자료가 그대로 글방에 남습니다. 이 자료들은 어디로 가게 될는지요.

해인글방을 찾는 이들의 면면도 다양합니다. 중학교 시절 친구들은 졸업 앨범을 뒤져 얼굴을 대조해야만 알아볼 수 있을 정도로 많이 변했고, 휴양을 하러 본원에 들어온 환자 수녀들을 만나면 건강하고 젊었던 날의 모습이 떠올라 마음이 찡해집니다. 때로는 책에서 본 저의 젊은 시절 얼굴만 기억하고 와서 실망하는 독자를 만날 때도 있어요.

세월에 따른 변화는 막을 수 없으니 이 무게를 선물처럼 받아들여야 평화가 찾아옵니다. 그 선물이 추억의 다른 이름이라고 할 수 있지요. 중학교 시절의 모습은 온데간데없지만, 추억을 나누는 순간 곧장 중학생 때로 돌아갑니다. 나이 든 제 모습에 실망하던 독자도 "왠지 전보다 가까이 다가갈 수 있는 지금의 수녀님 모습이 더 좋아요"라며 시간의 흐름을 긍정적으로 표현하기도 합니다. 저의 첫 시집을 읽었던 독자는 그 시절의 자신을 떠올리며 회상에 잠기기도 한답니다.

추억의 힘은 '대체 시간이 왜 이리도 빨리 갈까' 하는 푸념을 '다가오는 시간들이 얼마나 고마워'라는 긍정의 지혜로 바꿔주는 데 있습니다. 앞으로 다가올 시간을 어떻게 사용할 것인가, 미래에는 지금 이 순간들이 어떤 추억으로 남을까 기대하게 만드는 것이지요.

추억이 없다면 지나간 과거가 어떻게 선물이 되겠어요. 시간이 날 때마다 해인글방의 편지 더미에서 옛 사람의 손 글씨로 적힌 사연을 읽습니다. 우리가 함께 지나온 시간이 거기에 있고, 그 시간이 또 지금을 살게 합니다.

사계절 내내
우리 수도원의 복도는
침묵 속에 말한다
인생 여정을 길게 펼쳐 보이는
하나의 길이 된다

창문을 통해
하늘과 바다를 보고
산과 나무를 보며
나는
가만히 서 있기도 하고
바삐 일터로 향하는 수녀들과
눈인사를 나누기도 하는 곳
먼저 세상을 떠난 이들의
쓸쓸한 그림자가
비치기도 하는 곳

오늘도

성당으로 식당으로

침방으로 정원으로

내가 살아서 걸어가는

삶의 구름다리

내가 제일 사랑하는

길 위의 집

내가 순례객임을

시시로 일깨워주는

수도원의 복도에서

나의 일생은 기도가 되네

「수도원 복도에서」

숲길에서
잔디밭에서
나와 눈이 마주쳤던
그 조그만 새들은
어디로 갔을까

언젠가 나의 창가에
깃털 한 개
살짝 남겨두고 떠난
그 새가 보고 싶어
하늘을 보네

나의 꽃밭에서
즐겁게 노닐던
하얀 나비들은
어디로 갔을까

바닷가에서
나에게 깊은 말을 건넸던
어느 날의 파도
수평선 너머의 흰 구름은
어디로 흘러갔을까

오래 만나
익숙한 것들
다 그리워할 틈도 없는데
왜 사라진 것들이
꼭 한 번밖엔 만난 적 없는
그런 존재가
문득 보고 싶은 걸까
가만히 가만히
그리움으로 밀려오는 걸까

「어떤 그리움」

어렸을 때부터 잡지에 나온 좋은 글귀를 오려서 스크랩하는 걸 좋아했어요. 이번에 정리하다 보니까 1981년도에 새싹문학상 받았을 때 사람들이 보낸 축전하고 축하 편지, 성탄 카드를 붙인 스크랩을 발견했습니다. 이건 우리 어머니가 보내신 거예요.

장구한 세월 숱한 발길에 채이던 돌멩이가 닳고 닳아 빛이 난다.

_서울에서 엄마가 기쁜 마음으로

초등학교도 졸업 못 한 할머니가 어찌 이리 실존적인 언어로 쓰셨을까요. 그리고 그해 제가 담당했던 지원자의 어머니 한 분도 성탄 축하 편지를 보내셨어요. "사비나 모母"라고 쓰셨습니다. 오늘 사비나 수녀님(지금은 잔 다르크 수녀님)이 지나가기에 "1981년도 11월 14일에 수녀님 엄마가 내게 보낸 편지야" 그랬더니 막 울려고 해요. 돌아가신 엄마가 살아온 것처럼요.

한쪽에서는 버리고 한쪽에서는 간직하고 모으는데 저는 모으는 일을 바라는 것 같습니다. 이 보존이 단지 시간을 담는다는 의미보다 나눔으로 이어질 때 거기서 나오는 파장이 있어요.

『이해인의 말』 중에서

친구야, 네가 있기에
이렇게 먼 길을
숨 가빠도 기쁘게 달려왔단다

많은 말 대신
고요한 신뢰 속에
함께하는 시간들이
늘 든든한 기도였단다

우정은 때로
사랑보다 힘이 있음을 믿어

너를 생각하면
세상이 아름답고
근심조차 정겹구나

푸른 하늘로 열리는

우정의 축복 속에

다시 불러보는 별 같은 이름,

친구야

「우정일기 1」

'어디 갔다 이제 오니'

어릴 적 동무가 분꽃 향내를 풍기며

정답게 걸어올 것만 같은

해 질 녘의 골목길

무거운 책가방을 든 나를

반갑게 맞아주는 엄마의 웃음과

하늘빛 앞치마가 보이는 길

이웃집 마당에 널린 빨래가

춤을 추며 삶을 이야기하는 길

지나간 세월은 다시 오지 않고

나는 계속 앞으로 가고 있는데

왜 자꾸 추억은 힘이 되고

그리운 것은 많아질까

골목길에 서면

행복하다

「골목길에서」

한집에 살아도 다른 소임 때문에 서로 대화가 부족했던 이들끼리 아름다운 자연을 감상하며 부담 없는 대화를 나눌 수 있는 시간들……. 저는 출장 관계로 자주 빠졌기에 함께하는 시간이 더욱 소중하게 여겨졌고 "우리와 함께하니 반갑네요!" 하는 인사를 들으니 행복했답니다. 단풍도 아름다웠지만 해 질 무렵의 섬진강변 하얀 모래밭에서 같이 노래를 부르던 기억은 오래 잊히지 않을 것입니다. 저는 아우들의 청에 못 이겨 동요를 부르고 귀여운 율동도 하였답니다.

『사랑은 외로운 투쟁』에서

햇빛 한 접시
떡국 한 그릇에
나이 한 살 더 먹고

나는 이제
어디로 가는 것일까요

아빠도 엄마도
하늘에 가고
안 계신 이 세상
우리 집은 어디일까요

일 년 내내
꼬까옷 입고 살 줄 알았던
어린 시절 그 집으로
다시 가고 싶네요

식구들 모두

패랭이꽃처럼 환히 웃던

그 시간 속으로

들어가고 싶네요

「설날 아침」

친구야, 너는
어디엘 가도
내 곁에 있단다

싸우고 나서
다신 안 만나겠다는 결심도
하루가 못 가고
나와 다른 네 생각이
때로는 못마땅해서
잠시 미움을 품다가도
돌아서면 금방 궁금하고
보고 싶어 어쩔 줄을 모르잖니?

기쁠 때나 슬플 때나
단 한 순간도 너를
잊은 적이 없는 내가
늘 새롭게 신기하단다

네가 있어 나의 삶은
둥근달처럼 순하고
둥근해처럼 환하다
작은 근심들도
마침내 별빛이 된다

친구야, 너는
나의 고운 그림자
나를 나이게 하는 꿈
부를수록 새로운 노래임을
이렇게 설레며 고마워하는
내 마음 알고 있니?
네게 보이니?

「친구야, 너는」

살면서 어떤 사소한 일로 오해가 빚어져 슬프거나 우울한 순간들이 올 때는 제가 꽃을 받았던 날의 추억과 기쁨을 꺼내 음미하며 빙그레 웃어보곤 합니다. 사계절 내내 자기 차례를 인내하며 기다리다 피어나는 한 송이의 꽃처럼 모두를 이해하고 용서할 수 있는 꽃마음의 온유함을 닮을 수 있는 은총을 구합니다. 그리고 누구에게 꽃이 되라고 주문하기 전에 제가 먼저 한 송이 꽃으로 사랑을 시작하겠다는 다짐을 합니다.

『그 사랑 놓치지 마라』 중에서

죽음

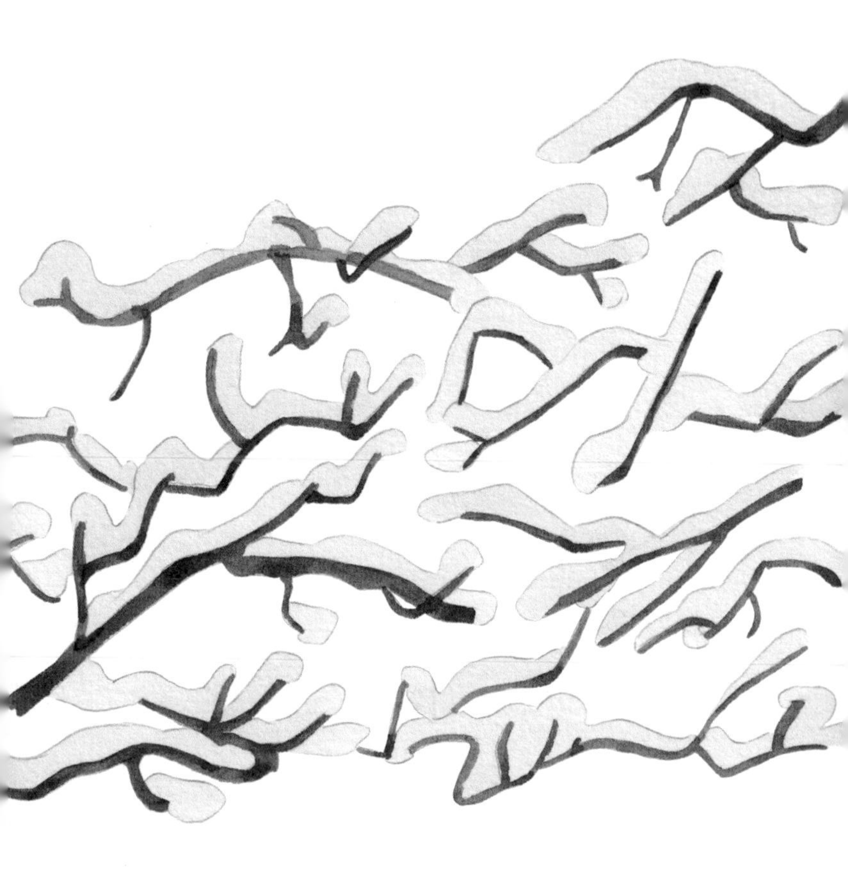

요즘은 제가 지상을 떠나고 난 뒤를 생각해서 차근차근 주변을 정리하고 있습니다. 가령 출판사마다 계약서에 제가 죽고 난 뒤 어떻게 하겠다는 조항을 추가한다든지, 수녀회에서 제가 가진 자료들을 어떻게 처리할 것인지 상의하는 일 등이지요.

죽음은 매일 떠올리고 기도하는 주제입니다. 점심을 먹고 기도를 마친 뒤 나가면서 죽음에 대한 기도를 외우고, 잠들기 전에는 끝기도를 합니다. 그러니 삶과 죽음이 한 몸이라는 것을 매일 깨닫는 셈이지요. 개인적으로도 굉장히 어린 시절부터 인간의 죽음에 대해 많은 생각을 했고, 그것이 수녀원에 오게 된 계기가 됐다고도 할 수 있습니다.

스티브 잡스가 스탠퍼드대학교에서 한 연설 중에 '하루에 적어도 한두 번 자신에게 닥칠 미래의 죽음을 생각하면 내 삶의 본질적인 것과 부수적인 것이 단번에 정리된다'는 요지의 내용이 있어요. 청년들 앞에서 죽음에 대해

앞당겨 생각하라는 말이 인상 깊었는데, 제 생각과 비슷해 들으면서 고개를 끄덕였습니다.

물리적·육체적인 죽음 이전에 생활 중에 찾아오는 작은 죽음을 잘 연습하다 보면 마침내 나에게 오는 큰 죽음도 잘 맞이할 수 있지 않을까요. 죽음 자체에 대한 두려움보다 그냥 삶의 연장선상에서 꽃이 지는 것처럼, 나무가 옷을 벗는 것처럼 자연스럽게 끝을 향해 가고 있다고 생각해보세요. 고향으로 돌아가는 여정이라고 말입니다.

누군가 죽고 나면 깊이 애도할 틈도 없이 또 다른 죽음이 옵니다. 살다 보면 남의 죽음은 죽음이고, 나는 영원히 살 것처럼 여기기도 해요. 그래서 또 살아가는 것이지만, 반드시 하루에 한두 번은 미래의 죽음을 생각하면 좋겠습니다. 그러면 내 삶에 대해 겸손해질 수밖에 없어요. 내 삶에서 죽음을 잘 기다리고 이용하길 바랍니다.

희망에 대해서 말할 때도 적었지만, 저의 큰 희망은 수도자로서 순례의 길을 잘 마치고 선종하는 것입니다. 수도회 공동체가 함께 기도하는 위령의 달, 위령의 날(11월 2일)을 좋아합니다. 먼저 떠난 수녀들이 잠든 무덤가에서는 절로 마음이 차분해지고 온유해지거든요. 『길가메시 서사시』의 "잠자는 이들과 죽은 이들이 어쩌면 그렇게 서로 같은지!"라는 구절을 자주 떠올리기도 합니다.

삶에서 자존심 상하고 화나는 일이 있을 때는 언젠가 들어갈 '상상 속의 관'에 미리 잠시 들어가봅니다. 용서와 화해가 어려울 적마다 십자가 진 예수님을 바라보며 자신을 겸손히 내려놓는 순례자의 영성을 지니고 살아야겠다고 다짐합니다. 매일 죽음을 연습하다 보면 어느 날 주님이 부르실 때 명랑하게 대답하며 큰 죽음도 잘 맞이할 수 있겠지요.

여섯 살 때 6.25전쟁을 겪으면서 인생에 드리워진 짙은 어둠을 나름대로 체험했어요. 어렸을 때도 '만날 때가 있으면 헤어질 때가 있다, 모든 만남 속에는 이별이 있다'는 것을 묵상하고 살았습니다. 우리가 해 뜨는 것에 황홀해하지만, 일출의 바다에서는 언젠가 해가 지기도 하니까요. 슬픔과 기쁨이 공존하듯이 만남과 이별이 항상 함께한다는 점을 일찍 안 거죠.

지금 노년을 살면서도 모든 생명 속에 죽음이 깃들어 있다는 것을, 많은 사람이 죽어가고 있고, 그렇게 이별을 함께한다는 것을 묵상하지 않을 수가 없답니다. 죽음 속에 있는 생명, 삶 속에 있는 죽음을 말이에요.

『이해인의 말』 중에서

숲과 바다를 흔들다가
이제는 내 안에 들어와
나를 깨우는 바람
꽃이 진 자리마다
열매를 키워놓고
햇빛과 손잡는
눈부신 바람이 있어
가을을 사네

바람이 싣고 오는
쓸쓸함으로
나를 길들이면
가까운 이들과의
눈물겨운 이별도
견뎌낼 수 있으리

세상에서 할 수 있는

사랑과 기도의
아름다운 말
향기로운 모든 말
깊이 접어두고
침묵으로 침묵으로
나를 내려가게 하는
가을바람이여

하늘 길에 떠가는
한 조각 구름처럼
아무 매인 곳 없이
내가 님을 뵈옵도록
끝까지
나를 밀어내는
바람이 있어

나는

홀로 가도

외롭지 않네

「가을바람」

신앙심이 깊은 이들에게도 죽음이란 '평화롭고 초연하게 받아들여야 할' 이론의 이상과는 달리 실제로는 불안과 두려움의 대상이 아닐 수 없다. 그래서 날마다 새롭게 죽음을 의식하는 연습이라도 미리 해두어야 삶의 마무리를 잘하지 않을까 싶다. 매일 매 순간을 '마지막인 듯이 새롭게' 살아가는 연습, 모르는 이들의 죽음도 깊이 애도하며 그 슬픔에 동참하는 연습, 삶의 유한성을 겸허하게 받아들이며 이기심과 탐욕을 줄여가는 연습이 필요하다.

"주님, 자비로이 이 밤을 비추어주시고, 밝아오는 아침에 당신 이름으로 일어나 건강한 몸과 기쁜 마음으로 새날 빛을 볼 수 있도록 오늘 평화 속에 편히 쉬게 하소서."

하루 일과의 '끝기도'에서 늘 습관적으로만 외우던 기도 내용을 다시 묵상하며 나는 새 아침을 기다린다.

『기쁨이 열리는 창』 중에서

오래 깜깜할수록

그 밝은 빛을

더 많이 보여주었지

어떤 것은 살짝

숲으로 날아가고

어떤 것은

춤추는 무희의 몸짓으로

제법 오래 내 앞에

머물다 갔지

인생은 짧다

모든 것은 사라진다

깜빡이는 빛으로

노래하였지

찰나적인 황홀함에

나는 숨이 막혔지

「반딧불 이야기」

안녕?

나는 지금 무덤 속에서

그대를 기억합니다

이리도 긴 잠을 자니

편하긴 하지만

땅속의 차가운 어둠이

종종 외롭네요

아직 하고 싶은 일도 많고

보고 싶은 이들도 많은데

이리 빨리 떠나오게 될 줄 몰랐지요

나의 떠남을 슬퍼하는 이들의

통곡 소리가 아직도 귀에 선해요

서둘러 오느라고

인사도 제대로 못 해 미안합니다

꼭 한 번만 살 수 있는 세상
내가 다시 돌아갈 순 없지만
돌아간다면 더 멋지게 살 거라고
믿는 것도 나의 착각일 겁니다

내 하고 싶은 많은 말들
다 못 하고 떠나왔으나
그래도 이 말만은 꼭 하고 싶어요

삶의 정원을
순간마다 충실히 가꾸라는 것
다른 사람의 말을 잘 새겨듣고
웬만한 일은 다 용서할 수 있는
넓은 사랑을 키워가라는 것

활활 타오르는 뜨거움은 아니라도 좋아요
그저 물과 같이 담백하고 은근한 우정을

세상에 사는 동안 잘 가꾸려 애쓰다 보면
어느새 큰 사랑이 된다는 것
오늘도 잊지 마세요. 그럼 다음에 또……

「어떤 죽은 이의 말」

해가 뜰 때만
눈이 부신 줄 알았더니
해가 질 적에도
눈이 부셔요

아름다운 해님의 모습이
사라지는 순간
너무 서운하여
눈물이 났어요

썰물 때의 바닷가
조그만 섬 탄도에서 한
해님과의 이별예식을
잊을 수가 없어요

삶이라는 이 바닷가에서
나도 언젠가

떠날 날이 있음을 헤아리며

조그만 섬으로 엎디어 있어요

아직도 살아 있음을 고마워하면서

「해 질 무렵—탄도에서」

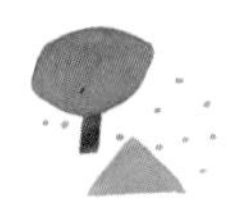

가까운 친지들의 죽음을 목격할 때마다 문득 더 엄숙해지고 조금은 우울해지면서 죽음에 대한 두려움이 밀려와요. 특히 요즘은 더욱 그렇습니다. 그래서 선한 결심을 더 자주 합니다. '내 남은 날들의 첫날인 오늘을 더 열심히 살아야지, 하루 한 순간을 허투루 쓰지 말고 매일 대하는 이들을 처음 본 듯이 새롭게 사랑해야지' 이렇게요. 죽음은 누구나 예외가 없잖아요? 그렇기에 저는 이왕이면 기쁘게 맞고 싶어요. 우선은 일상 안에서의 작은 죽음, 그러니까 몸과 마음의 고통, 시련, 또 인내가 필요한 일부터 잘 연습하는 지혜를 달라고 기도합니다.

『그 사랑 놓치지 마라』 중에서

하느님

오늘은 제가

아주 많이 아픕니다

그래서 아무 말도 못 하고

저의 생각들도

왔다 갔다

꿈인지 생시인지

혼미합니다

이 세상에 사는 동안

참 많은 꿈을 꾸었습니다

결국은 제가 당신께로 가기 위한

연습이었지요

이제 곧

당신을 뵈올 생각에

행복합니다

내내 눈을 감고
저만의 마지막 고통을 봉헌합니다

당신이 저의 꿈이었듯이
저 또한 당신의 꿈이 되고
한 송이 꽃이 되어
그 나라에 도착하고 싶습니다

저를 받아주시겠지요?

「마지막 편지」

먼 길 떠나는 날에도
아름다운 꿈을 꾸었지요?

당신만 아는
혼자만의 꿈
평화의 강을 건너
하느님을 만나는 꿈
어둠의 터널을 빠져나온
빛과 함께
승리하는 꿈

꿈에 만난 당신은
고요한 미소로
고개 끄덕이며
나에게 꿈이 되었습니다

이 세상 떠나는 날

나도 당신처럼 고운 꿈
꾸게 해달라고
기도했습니다

「꿈꾸며 떠난 길」

초등학교 시절부터 저는 죽음에 대한 묵상을 많이 했습니다. 저도 '미지의 세계'가 두렵고 불안합니다. 그래도 신앙 안에서 늘 죽음을 긍정적으로 생각하려고 노력하고 있지요. 생의 마지막 순간이 올 때까지 우선 사소한 일상의 행위 안에서도 나 자신을 양보하고 희생할 줄 하는 '작은 죽음'부터 잘 연습해야겠다는 생각이 들곤 합니다. 적어도 하루에 한 번은 삶의 한계성과 죽음을 묵상하면서 지금 여기의 삶을 충실히 살려고 의식적인 노력을 하고 이것은 수행에도 매우 도움을 줍니다.

『사랑은 외로운 투쟁』 중에서

내 삶의 끝은

언제 어디서

어떤 모습으로 이루어질까

밤새 생각하다

잠이 들었다

아침에 눈을 뜨니

또 한 번 내가

살아 있는 세상!

아침이 열어준 문을 열고

사랑할 준비를 한다

죽음보다 강한

사랑의 승리자가 되어

다시는

죽음을 두려워하지 않을 수 있는

용기를 구하면서

지혜를 청하면서
나는 크게 웃어본다
밝게 노래하는 새처럼
가벼워진다

「어느 날의 단상 1」